Formación Cívica y Ética

Sexto grado

Esta edición de *Formación Cívica y Ética. Sexto grado* fue desarrollada por la Dirección General de Materiales Educativos (DGME) de la Subsecretaría de Educación Básica, Secretaría de Educación Pública.

Secretaría de Educación Pública
Alonso Lujambio Irazábal

Subsecretaría de Educación Básica
José Fernando González Sánchez

Dirección General de Materiales Educativos
María Edith Bernáldez Reyes

Coordinación técnico-pedagógica
Dirección de Desarrollo e Innovación de Materiales Educativos, DGME/SEP
María Cristina Martínez Mercado, Ana Lilia Romero Vázquez

Coordinación académica
Universidad Nacional Autónoma de México
Lilian Álvarez Arellano

Autores
Universidad Nacional Autónoma de México:
Lilian Álvarez Arellano, Patricia Ávila Díaz, Bulmaro Reyes Coria
Universidad Pedagógica Nacional:
Valentina Cantón Arjona, Adriana Corona Vargas
Escuela Normal Superior de México:
María Esther Juárez Herrera
Universidad del Valle del México:
Norma Romero Irene

Asesoría
Instituto de Investigaciones Filológicas/UNAM:
Rubén Bonifaz Nuño

Corrección de estilo
Instituto de Investigaciones Filológicas, UNAM:
Jesús Gómez Morán

Revisión pedagógica
Ana Hilda Sánchez Díaz, Leticia Araceli Martínez Zárate, Ana Cecilia Durán Pacheco, Ángela Quiroga Quiroga

Coordinación editorial
Dirección Editorial, DGME/SEP
Elena Ortiz Hernán Pupareli, Alejandro Portilla de Buen, Isabel Galindo Carrillo

Investigación iconográfica
Claudia C. Lasso Jiménez, Laura Raquel Montero Segura, Edgar Estrella Juárez

Portada
Diseño de colección: Carlos Palleiro
Ilustración de portada: Ericka Martínez

Primera edición, 2008
Tercera edición, 2010
Primera reimpresión, 2011 (ciclo escolar 2011-2012)

D.R. © Secretaría de Educación Pública, 2008
Argentina 28, Centro,
06020, México, D.F.

ISBN: 978-607-469-405-5

Impreso en México
DISTRIBUCIÓN GRATUITA-PROHIBIDA SU VENTA

Servicios editoriales
Margen 21, Servicios Editoriales

Diseño gráfico
Francisco Ruiz Herrera, Raúl Cuellar Moreno

Ilustraciones
Silvia Luz Alvarado Ramírez (pp. 22-26, 28-29, 46-48, 50, 70-78, 94-100, 116-120, 122), Ismael David Nieto Vital (pp. 8-9, 16, 18, 20-21, 30, 40-43, 52-53, 60, 67, 69, 80-81, 93, 102-103, 108-111, 113-115, 124-125), Julián Cicero Olivares (pp. 44-45). *Idea original de las ilustraciones:* Alex Echeverría

Apoyo institucional
Centro de Investigación para el Desarrollo, A.C.; El Colegio de México; Comisión de Derechos Humanos del Distrito Federal; Comisión Nacional del Deporte; Comisión Nacional para el Desarrollo de los Pueblos Indígenas; Comisión Nacional para Prevenir la Discriminación; Confederación de Cámaras Industriales, Comisión de Educación; Congreso de la Unión, Cámara de Diputados, Comisión de Educación Pública y Servicios Educativos; Ejército y Fuerza Aérea; Universidad del Ejército y Fuerza Aérea; Fundación Ahora, A. C.; Iniciativa Ciudadana para el Diálogo Democrático; Instituto Electoral del Distrito Federal; Instituto Federal de Acceso a la Información; Instituto Federal Electoral, Dirección Ejecutiva de Capacitación Electoral y Educación Cívica; Instituto Mexicano de la Juventud; Instituto Nacional de Antropología e Historia, Dirección de Museos y Laboratorio de Geofísica; Instituto Nacional del Derecho de Autor; Instituto Nacional de las Mujeres; Instituto Nacional de Lenguas Indígenas; Mexicanos Primero; México Unido contra la Delincuencia; Navega Protegido en Internet; Secretaría de Educación Pública, Coordinación General de Educación Intercultural Bilingüe, Dirección de Relaciones Internacionales, Escuela Segura y Unidad de Planeación y Evaluación de Políticas Educativas; Secretaría del Medio Ambiente y Recursos Naturales, Centro de Educación y Capacitación para el Desarrollo Sustentable; Servicios a la Juventud, A. C.; Sistema Nacional para el Desarrollo Integral de la Familia, Dirección General de Enlace Interinstitucional; Suprema Corte de Justicia de la Nación; Universidad Nacional Autónoma de México, Instituto de Investigaciones Filológicas, Instituto de Investigaciones Jurídicas; Secretaría de Gobernación, Dirección General de Cultura y Formación Cívica, Dirección General de Protección Civil; Secretaría de Marina, Dirección General Adjunta de Educación Naval; Secretaría de Relaciones Exteriores, Archivo Histórico; Secretaría de Salud, Subsecretaría de Prevención y Promoción de la Salud; Secretaría del Trabajo y Previsión Social; Transparencia Mexicana; Fondo de las Naciones Unidas para la Infancia (UNICEF). Los conceptos jurídicos y de formación ciudadana se elaboraron en conjunción con el Instituto Federal Electoral y el Instituto de Investigaciones Jurídicas de la Universidad Nacional Autónoma de México; los relacionados con el cuidado de la salud y el desarrollo, con la Secretaría de Salud. El Centro de Educación y Capacitación para el Desarrollo Sustentable brindó las definiciones de su campo. El Instituto Federal Electoral desarrolló los contenidos de participación ciudadana y la glosa de la Constitución Política de los Estados Unidos Mexicanos.

Participaron los siguientes ciudadanos: Isidro Cisneros, Germán Dehesa, Enrique Krauze (El Colegio Nacional), Cecilia Loría Saviñón, Armando Manzanero, Eduardo Matos Moctezuma (El Colegio Nacional), Mario José Molina Henríquez (El Colegio Nacional), Carlos Monsiváis y Adolfo Sánchez Vázquez.

Agradecimientos
La SEP extiende un especial agradecimiento a la Universidad Pedagógica Nacional (UPN), por su participación en el desarrollo de esta edición.

Se agradece la atenta lectura de más de once mil maestras, maestros y autoridades educativas y sindicales, quienes participaron en las jornadas de exploración de material educativo de todo el país, y expresaron sus puntos de vista en la página web armada para ello. Asimismo, las revisiones y comentarios del Instituto Federal Electoral, de los miembros del Consejo Consultivo Interinstitucional para la Educación Básica y el constituido para revisar el diseño curricular del Programa Integral de Formación Cívica y Ética, así como la revisión de El Colegio de México.

Presentación

La Secretaría de Educación Pública, en el marco de la Reforma Integral de la Educación Básica, plantea una propuesta integrada de libros de texto desde un nuevo enfoque que hace énfasis en la participación de los alumnos para el desarrollo de las competencias básicas para la vida y el trabajo. Este enfoque incorpora como apoyo Tecnologías de la Información y Comunicación (TIC), materiales y equipamientos audiovisuales e informáticos que, junto con las bibliotecas de aula y escolares, enriquecen el conocimiento en las escuelas mexicanas.

Después de varias etapas, en este ciclo se consolida la Reforma en los seis grados y, en consecuencia, se presenta esta propuesta completa de los nuevos libros de texto, que abarca la totalidad de las asignaturas en todos los grados.

Este libro de texto incluye estrategias innovadoras para el trabajo escolar, demandando competencias docentes orientadas al aprovechamiento de distintas fuentes de información, el uso intensivo de la tecnología, la comprensión de las herramientas y de los lenguajes que niños y jóvenes utilizan en la sociedad del conocimiento. Al mismo tiempo, se busca que los estudiantes adquieran habilidades para aprender de manera autónoma, y que los padres de familia valoren y acompañen el cambio hacia la escuela mexicana del futuro.

Su elaboración es el resultado de una serie de acciones de colaboración, como la Alianza por la Calidad de la Educación, así como con múltiples actores entre los que destacan asociaciones de padres de familia, investigadores del campo de la educación, organismos evaluadores, maestros y expertos en diversas disciplinas. Todos han nutrido el contenido del libro desde distintas plataformas y a través de su experiencia. A ellos, la Secretaría de Educación Pública les extiende un sentido agradecimiento por el compromiso demostrado con cada niño residente en el territorio nacional y con aquellos que se encuentran fuera de él.

Secretaría de Educación Pública

Índice

Formación Cívica y Ética • Sexto grado

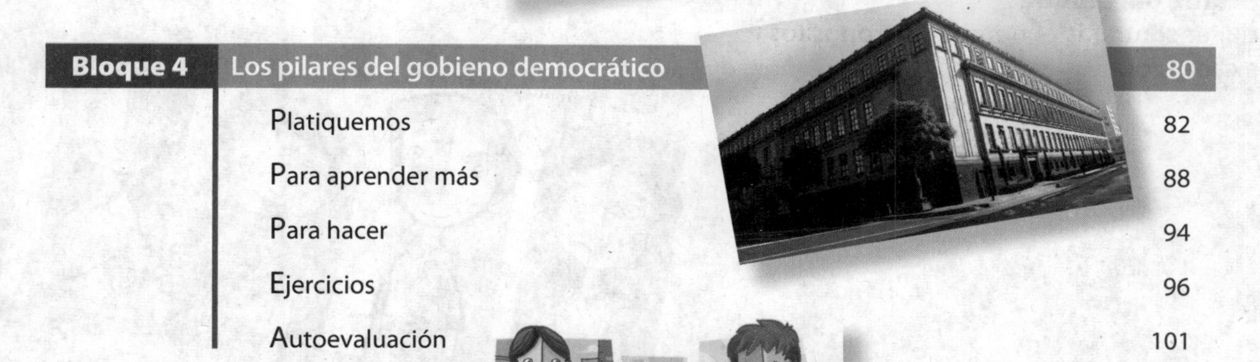
Estados Unidos

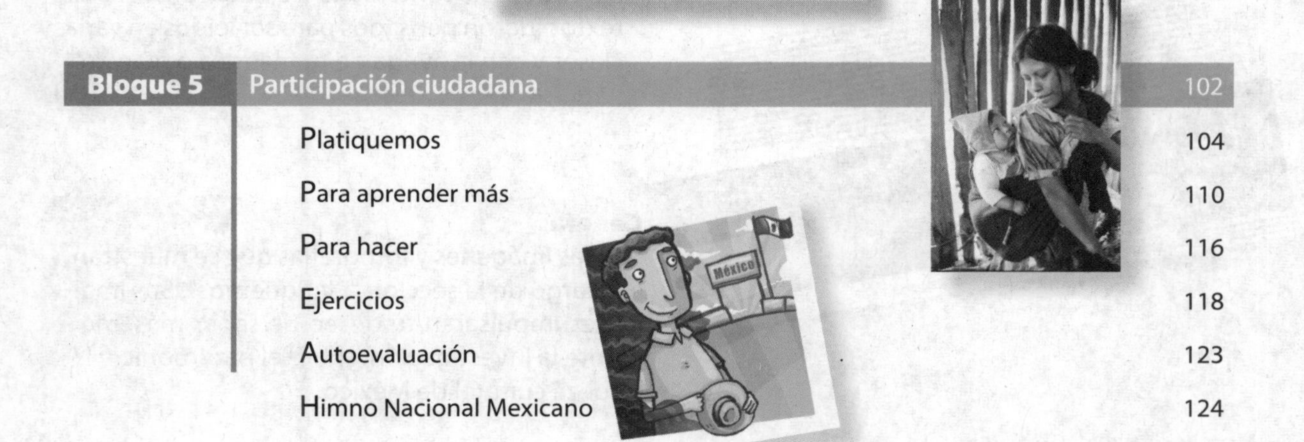
México

Conoce tu libro

Alumnas y alumnos:

Bienvenidos a este nuevo año escolar. En este curso de Formación Cívica y Ética tendrán la oportunidad de profundizar en diversos temas que son de gran importancia para su desarrollo personal y social.

Esta asignatura tiene entre sus propósitos que continúen el análisis y la reflexión acerca de sucesos que han estado presentes en su vida, pero también sobre otros que son nuevos y que es necesario que comprendan, tales como los relacionados con su crecimiento y desarrollo; asimismo, podrán reflexionar acerca de sus emociones, sus metas para mejorar y sus planes para el futuro.

Además, también estudiarán asuntos de interés social, pues es deseable que conozcan y se involucren en la búsqueda de soluciones para los problemas que se derivan de la vida social.

Para que aprovechen el contenido de su libro de Formación Cívica y Ética revisen a qué se refiere cada una de sus secciones.

Las secciones que integran tu libro son:

Portada del bloque
Aquí encontrarás el nombre y propósitos de cada bloque.

Platiquemos
En esta sección se presentan con claridad y precisión los conceptos básicos necesarios para aprender los contenidos de cada bloque. Los textos fueron pensados para ser leídos en varias clases y con la ayuda de tu maestra o maestro.

Cenefa
Son las imágenes y fotografías que se muestran a lo largo de la sección "Platiquemos". Sus imágenes impulsarán tu deseo de saber más, mediante la investigación, sobre el patrimonio y la riqueza cultural de México.

Para aprender más

En estas páginas encontrarás textos elaborados especialmente para ti por instituciones y asociaciones civiles que te ayudarán en la comprensión y aplicación de los contenidos de la asignatura. Son materiales que te invitan a profundizar en los temas y a reflexionar.

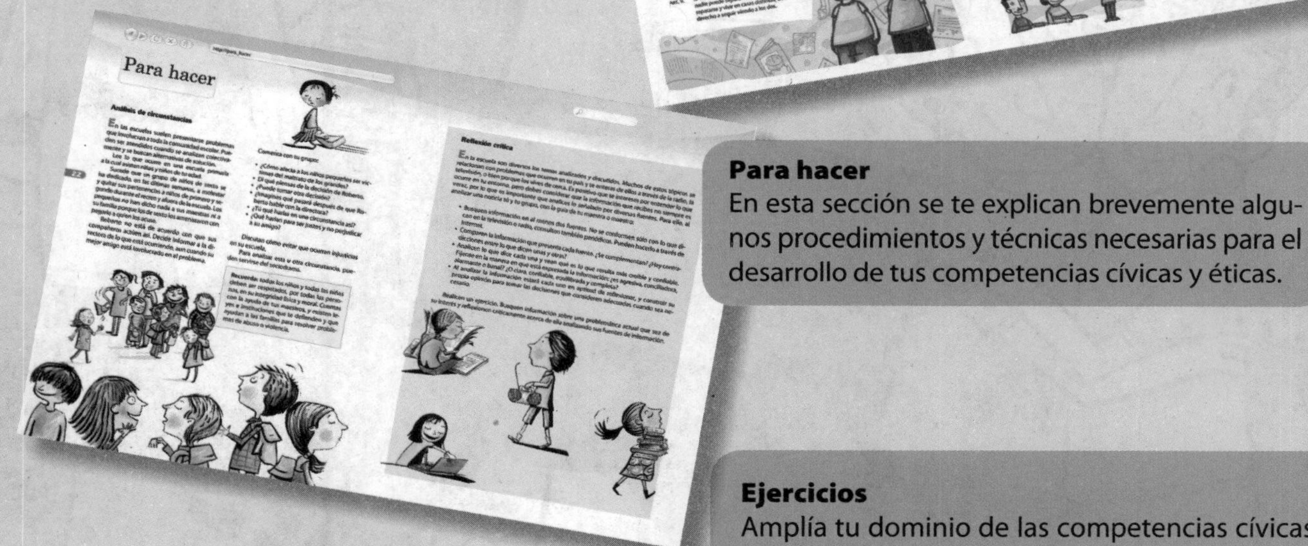

Para hacer

En esta sección se te explican brevemente algunos procedimientos y técnicas necesarias para el desarrollo de tus competencias cívicas y éticas.

Ejercicios

Amplía tu dominio de las competencias cívicas y éticas.

Autoevaluación

Es un ejercicio para que veas cuánto se han desarrollado tus competencias y actitudes.

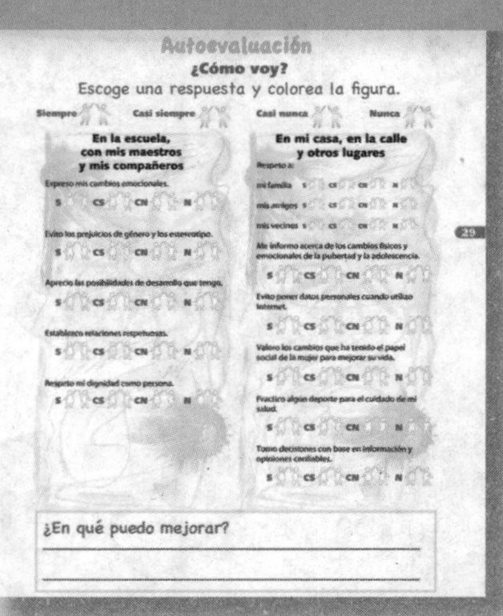

Autoevaluación

¿Cómo voy?

Escoge una respuesta y colorea la figura.

Siempre · Casi siempre · Casi nunca · Nunca

En la escuela, con mis maestros y mis compañeros

Expreso mis cambios emocionales.

Evito los prejuicios de género y los estereotipos.

Aprecio las posibilidades de desarrollo que tengo.

Establezco relaciones respetuosas.

Respeto mi dignidad como persona.

En mi casa, en la calle y otros lugares

Respeto a:

mi familia

mis amigos

mis vecinos

Me informo acerca de los cambios físicos y emocionales de la pubertad y la adolescencia.

Evito poner datos personales cuando utilizo Internet.

Valoro los cambios que ha tenido el papel social de la mujer para mejorar su vida.

Practico algún deporte para el cuidado de mi salud.

Tomo decisiones con base en información y opiniones confiables.

¿En qué puedo mejorar?

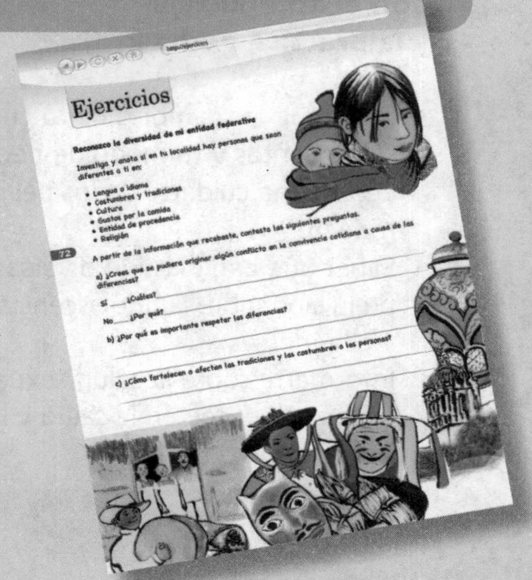

Ejercicios

Reconozco la diversidad de mi entidad federativa

Investigo y anoto si en tu localidad hay personas que sean diferentes a ti en:

- Lengua o idioma
- Costumbres y tradiciones
- Cultura
- Gustos por la comida
- Entidad de procedencia
- Religión

A partir de la información que recabaste, contesta las siguientes preguntas.

a) ¿Crees que se pudiera originar algún conflicto en la convivencia cotidiana a causa de las diferencias?

Sí ___ ¿Cuáles? ___

No ___ ¿Por qué? ___

b) ¿Por qué es importante respetar las diferencias?

c) ¿Cómo fortalecen o afectan las tradiciones y las costumbres a las personas?

De la niñez a la adolescencia

Con el aprendizaje y la práctica podrás:

- Distinguir los cambios de tu cuerpo, tus sentimientos y tu modo de pensar para aprender a cuidarte de los peligros que te rodean.
- Saber que han existido diversas ideas y prejuicios sobre la adolescencia, la sexualidad y el género.
- Informarte sobre la salud sexual, e identificar hechos que afecten la salud y la dignidad de las personas.

F
M
Día Internacional
de la
No Violencia
Salud
Sexual

Platiquemos

Muchos cambios ocurren en tu persona. Las hormonas que produce tu cuerpo provocan cambios internos y externos que se notan en tu apariencia física y en las nuevas funciones que realiza tu cuerpo. La menstruación en las mujeres y la primera eyaculación en los varones marcan el fin de la pubertad y el inicio de la adolescencia. Esta nueva etapa termina alrededor de los 19 años.

Durante la pubertad y adolescencia se va construyendo una perspectiva personal de las cosas y del mundo; tienes nuevos intereses y pruebas otras formas de vestir o de hablar; conoces nuevos tipos de música; te gusta ser parte de un grupo de amigos de tu edad.

En estas etapas también aparecen nuevas emociones y sentimientos porque te sientes más cerca de amistades cuya compañía disfrutas. Te identificas con ellos porque son púberes o adolescentes como tú. Al platicar escuchas otros puntos de vista y vas poco a poco definiendo los tuyos. Tanto hombres como mujeres buscarán definir su individualidad y distinguirse por su forma especial de ser, de pensar y de relacionarse con los demás.

Las escuelas y maestras rurales simbolizaron a la Revolución por su capacidad de transformar las condiciones de vida del pueblo.

Fragmento de un mural de Diego Rivera, en la Secretaría de Educación Pública

Estás entrando a la edad en que las personas se plantean preguntas como ¿quién soy?, ¿cómo quiero ser cuando sea mayor?, ¿cómo será mi pareja?, ¿qué valores serán fundamentales en mi vida?, y otras que delinearán tu personalidad. Las preguntas que haces y las respuestas que les das tienen influencia de tu forma de vivir, tus intereses y tu propio carácter. Recuerda que cada persona es única y tiene su propio ritmo de desarrollo.

Aunque muchos rasgos sean similares entre los niños y las niñas de tu edad en todo el mundo, la pubertad y la adolescencia son vividas de diferente manera en los diversos países y comunidades. Estas diferencias tienen su origen en características de las sociedades en las cuales se desarrollan.

Los integrantes de la sociedad aprenden en sus grupos de convivencia valores relacionados con su sexualidad. En ciertas culturas el paso de niño a adulto se da con la pubertad. Así las y los jóvenes se incorporan al trabajo, o se casan, forman una nueva familia y se independizan de sus padres, y si la adolescencia se prolonga por más tiempo, los adolescentes se mantienen estudiando y dependen de sus padres o de otros adultos hasta que tienen manera de ser autosuficientes.

Platiquemos

La adolescencia es una bella etapa de la vida en la que ocurren grandes cambios relacionados fundamentalmente con la sexualidad de las personas. Cada etapa del desarrollo sexual se manifiesta de manera diferente, por lo que durante la adolescencia adquiere características especiales.

La sexualidad integra y expresa varias capacidades humanas relacionadas con los afectos y sentimientos, lo que para cada uno representa ser hombre o mujer, con su capacidad de goce y la capacidad de reproducción. Estas capacidades están presentes siempre en el ser humano, pero a veces se manifiestan unas y en ocasiones, otras.

El sexo es un elemento de nuestra sexualidad que nos diferencia como hombres o mujeres y se relaciona con nuestros órganos sexuales ya sean femeninos o masculinos, y con las funciones que realizan. Nuestro cuerpo adquiere la capacidad de reproducción durante la adolescencia. Esta capacidad se manifiesta con el inicio de la menstruación en las mujeres y la eyaculación en los hombres.

Sin embargo, no somos seres sexuados sólo para reproducirnos; aunque esto es necesario para mantener la especie humana, la sexualidad es más que eso, pues

José Vasconcelos fundó la Secretaría de Educación Pública, luchó contra el analfabetismo y promovió la lectura

involucra toda nuestra identidad como personas. La expresión de la sexualidad humana contribuye a fomentar la ternura, la comunicación y el amor entre las personas que se atraen. Es mucho más bonita y plena cuando se da entre personas que son afines, se gustan, se desean, se respetan, se quieren y se valoran.

Otro elemento de la sexualidad es el género, que se refiere a los comportamientos, sentimientos y formas de vida que nos identifican como hombres o mujeres en la sociedad en que vivimos. Es en la familia donde primero se aprende que hombres y mujeres nos comportamos de forma particular; por ejemplo, frecuentemente al nacer a los niños se les identifica con el color azul y a las niñas con el rosa. Los papeles sociales de las mujeres y de los hombres varían en cada sociedad y en el tiempo. A lo largo de la vida, mujeres y hombres nos vestimos distinto, usamos diferentes objetos para el arreglo personal y preferimos algunas ocupaciones, ¿qué otros aspectos se utilizan en donde vives para distinguir al género masculino del femenino?

La forma de tratar a niñas y niños también puede ser diferente en las familias, porque no todas comparten los mismos valores ni costumbres. Unas familias aplican la equidad de género porque consideran que hombres y mujeres tienen los mis-

Las maestras normalistas desempeñaron un papel fundamental en el desarrollo del país.

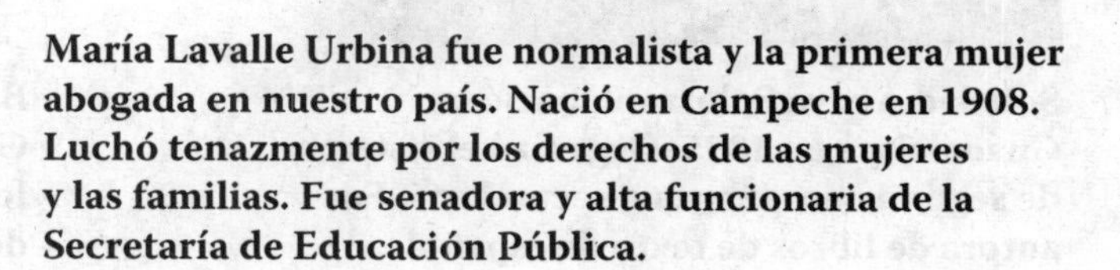

María Lavalle Urbina fue normalista y la primera mujer abogada en nuestro país. Nació en Campeche en 1908. Luchó tenazmente por los derechos de las mujeres y las familias. Fue senadora y alta funcionaria de la Secretaría de Educación Pública.

Platiquemos

mos derechos y las mismas obligaciones en el hogar, y distribuyen el trabajo casero entre todos; en esos hogares las tareas para hombres y mujeres son equivalentes. Desafortunadamente en algunos hogares se hace distinción y se dan menos oportunidades de desarrollo a las mujeres, lo cual las pone en desventaja y va en contra de sus derechos.

Los comportamientos de género también se aprenden en la escuela, en los grupos religiosos, con los amigos y por influencia de los medios de comunicación. Éstos frecuentemente presentan estereotipos de lo que significa ser hombre o mujer, a veces con la intención de promover el uso de cierto producto, o ciertas ideas. Es positivo que analices los mensajes de programas y anuncios publicitarios para identificar el modelo de hombre o de mujer que promueven y para que identifiques si están de acuerdo con tus valores o son ajenos a ti.

El cuidado de tu salud sexual es un aspecto importante que debes atender. Incluye, además del cuidado especial de tu cuerpo a través de la higiene y una alimentación adecuada, la atención a tus sentimientos y emociones. Busca siempre respeto y afinidad en las relaciones que emprendas.

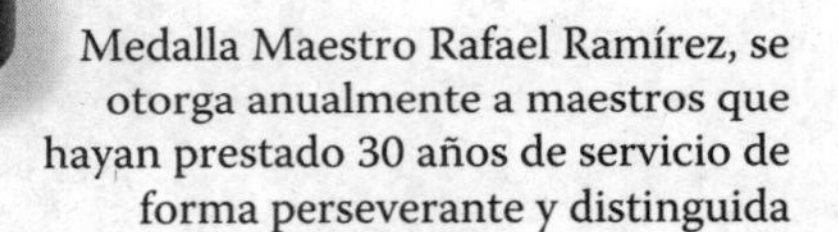

Medalla Maestro Rafael Ramírez, se otorga anualmente a maestros que hayan prestado 30 años de servicio de forma perseverante y distinguida

Soledad Anaya Solórzano nació en Guadalajara en 1895. Organizó el sistema de segunda enseñanza o secundaria. Fue autora de libros de texto de español.

Bertha von Glümer Leyva nació en Acapulco, Guerrero, en 1877. Fue educadora y escritora, formadora de educadoras, pedagoga y profesora de la Universidad Nacional.

Un elemento básico de la salud es el cuidado de tu integridad física. Esta integridad requiere que estés alerta para evitar actos de violencia en tu contra, como son el abuso físico, psicológico o sexual. No olvides que tienes derecho de que los demás te cuiden y protejan, pero también debes cuidarte y no ponerte en riesgo.

El abuso físico y psicológico, también llamado maltrato, se expresa en todas aquellas acciones que pueden lastimar a las personas como son golpes, amenazas, humillaciones o insultos. El abuso sexual se da cuando una persona acaricia a un niño, niña o adolescente en sus partes íntimas o en cualquier parte de su cuerpo. En gran parte de los casos, un familiar o amigo abusa de su autoridad y de la confianza que le da la familia.

El abuso, en cualquiera de sus formas, afecta la salud y la dignidad de las personas. En México, la sociedad y las leyes están en contra del abuso y protegen a los menores que lleguen a ser víctimas del mismo. Las leyes, las instituciones y los ciudadanos de tu país tenemos el compromiso de asegurar que crezcas con salud, seguridad y educación. En todo el mundo, hay instituciones que trabajan para garantizar tus derechos.

Si eres víctima de algún tipo de abuso o maltrato, pide ayuda a personas adultas de tu confianza para que te orienten hacia las instituciones y autoridades a los cuales acudir. En tu trato con las personas, evita el abuso en cualquiera de sus formas. Con respeto y trato solidario, transitarás de la niñez a la adolescencia de la mejor manera.

Medalla Ignacio Manuel Altamirano se ofrece a maestras y maestros que hayan cumplido 50 años de servicio educando a la juventud mexicana.

Rosaura Zapata nació en La Paz, Baja California. Fue maestra especializada en preescolar y promotora de los jardines de niños en todo nuestro país. Entre los reconocimientos que obtuvo están las medallas Belisario Domínguez e Ignacio Manuel Altamirano.

Como estas ilustres normalistas, las maestras y los maestros de hoy trabajan en favor de tu educación.

Para aprender más

Cuidar nuestra integridad física y emocional

Una de las preocupaciones de todos en nuestra sociedad es que sepas cuidar tu integridad física, que estés alerta para evitar actos de violencia en tu contra, como son el maltrato físico y psicológico, y el abuso sexual.

El maltrato físico y psicológico consiste en todas aquellas acciones, como golpes o humillaciones, que lastiman a las personas.

El abuso sexual puede darse cuando una persona mayor acaricia a un niño, niña o algún adolescente en sus partes íntimas o en todo su cuerpo, por encima o debajo de sus ropas, y esa persona amenaza o pide al menor de edad que guarde eso en secreto.

Generalmente el abuso puede presentarse cuando adulto y menor o menores están solos, o en un lugar escondido.

El abuso sexual no se limita al contacto físico, también se presenta cuando una persona toma fotografías de un infante desnudo, le pide que muestre sus genitales o lo obliga a tocar a una persona adulta; también cuando alguien lo obliga a ver películas pornográficas o a presenciar actos sexuales.

Es importante que reconozcas que hay diferentes tipos de caricias, unas que nos hacen sentir bien, queridos y amados; y otras que nos hacen sentir incómodos, ofendidos o violentados.

También debes saber que hay cosas que no deben guardarse en secreto; además, nadie debe tocar tus genitales.

No olvides que eres una persona que merece respeto, trato digno, y que siempre tienes alguna persona mayor en la cual puedes confiar, como mamá o papá, o quizá una tía o un tío, o una profesora o un profesor. No temas pedir ayuda a otra persona o a una institución si la necesitas. La ley te protege.

Definición de la adolescencia

La adolescencia implica un proceso de crisis vital, en el cual es necesario distinguir, elegir, decidir y resolver, para lograr la identidad personal.

En esta etapa, el contexto sociocultural ejerce una influencia profunda. Dicho contexto está conformado por distintos elementos, entre ellos la familia, la educación, el empleo, el desarrollo espiritual, las organizaciones comunitarias, las políticas y la legislación, la migración, el turismo, la urbanización, los medios masivos de comunicación, los servicios de salud, de recreación y el ambiente socioeconómico.

Las manifestaciones generales del proceso psicológico del adolescente son:

- Identidad: sentido coherente de "quién soy".
- Intimidad: capacidad para las relaciones maduras y responsables con otras personas, incluyendo las sexuales.
- Integridad: sentido claro de lo que está bien y lo que está mal, incluyendo actitudes y comportamientos socialmente responsables.
- Independencia psicológica: sentido suficientemente fuerte de sí mismo que permite tomar decisiones y desempeñarse sin depender excesivamente de otros.

Secretaría de Salud

Para aprender más

¿Navegas por Internet? Hazlo protegido

El uso de Internet es una experiencia de la vida moderna; puede ser fuente de aprendizaje y ayuda, pero también tiene sus peligros y justo ésos son de los que queremos prevenirte.

Cuidado con los ciberacosadores, también llamados depredadores en línea, que son adultos que tratan de tener un encuentro físico con un fin sexual o violento con alguien que conocen por Internet. Buscan víctimas fáciles, que pueden ser niñas y niños confiados a los que les gustan mucho las computadoras y que pasan largas horas en la red.

No des datos, no envíes fotos, no aceptes encuentros con personas que has conocido por Internet. Habla con tus padres o un adulto de tu confianza cuando tengas dudas.

Navega Protegido en Internet

Explotación sexual comercial infantil

Es importante que conozcas lo que es la explotación sexual comercial infantil, porque como adolescente corres el riesgo de encontrar personas que hacen negocios ilícitos con niños, niñas y adolescentes, haciéndose pasar por uno de ellos, sobre todo en Internet.

Si tú estás informado y sabes que estas prácticas existen y que están penadas por la ley, podrás cuidarte mejor y alertar a tus amigos y compañeros, para que entre todos puedan estar prevenidos y nadie lastime su integridad física y emocional.

La situación de los niños y las niñas en el mundo

Todos los niños y las niñas del mundo, sin importar dónde vivan, quiénes sean sus padres o qué capacidades tengan, tienen los mismos derechos, que deben respetarse y cumplirse por igual. Todos sin excepción tienen derecho a la vida, a la identidad y a la familia; a la expresión, la información y la participación; a la salud, la alimentación, la educación y la seguridad social, así como a la cultura, al arte y a la recreación.

Sin embargo, a pesar de los progresos alcanzados, estos derechos están lejos de ser una realidad para muchos de ellos. En el mundo, casi 10 millones de niños y niñas menores de 5 años mueren cada año por enfermedades que se pueden evitar fácilmente, como la neumonía y la diarrea. Muchos más no reciben la nutrición adecuada en los primeros años de su vida, lo que provoca que no puedan desarrollar su pleno potencial.

Unos 165 millones de niños, de 5 a 14 años de edad, tienen que trabajar para aportar al ingreso familiar, perdiendo la oportunidad de aprender y de obtener un mejor trabajo en la edad adulta. Muchos de ellos trabajan durante largas horas y en condiciones peligrosas. Cerca de 75 millones de niños y niñas en edad escolar no van a la escuela.

Aproximadamente 300 millones de niñas y niños del mundo están expuestos a la violencia, la explotación y los abusos, incluidas las peores clases de esclavitud laboral, en las comunidades donde viven, en sus escuelas o en sus familias.

El compromiso de Unicef (Fondo de las Naciones Unidas para la Infancia) es que todos los niños y las niñas del mundo puedan crecer en un entorno donde reciban educación, servicios de salud, buena nutrición, protección contra la violencia y el maltrato, y donde se les brinde el amor y los cuidados que necesitan.

unicef

Fondo de las Naciones Unidas
para la Infancia

Los niños y las niñas en situación de calle

Muchos niños, niñas y adolescentes de nuestro país viven o trabajan en la calle. Algunos de ellos son víctimas de explotación: trabajan para alguien que les paga poco o nada y que no se preocupa por su salud, su integridad ni su futuro. Lo deseable sería que todos ellos pudieran ir a la escuela y se mantuvieran alejados de lugares donde sus derechos pueden ser fácilmente violados.

Hay instituciones de asistencia social que ayudan a los menores de edad en situación de calle a reincorporarse a la vida familiar y escolar. Con acciones de prevención fortalecen los núcleos de muchas familias y evitan que los niños y las niñas abandonen la escuela. Al mismo tiempo, ofrecen becas y apoyos para que los menores de edad en situación de calle regresen al colegio y se reintegren a su familia.

Sistema Nacional para el Desarrollo Integral de la Familia

Para aprender más

Diferentes pero iguales

Los niños y las niñas queremos que nos den trato igual porque tenemos los mismos derechos. Es cierto que niños y niñas tenemos cuerpos diferentes, pero somos igual de inteligentes, fuertes; podemos hacer los mismos deportes y divertirnos.

Desgraciadamente todavía hay muchas personas que piensan que las niñas sólo deben jugar con muñecas y ser amas de casa cuando sean grandes; pero están equivocadas, porque las mujeres también pueden ser ingenieras, doctoras, astronautas, gobernadoras y presidentas de un país.

Para que las niñas puedan desarrollarse con todas sus capacidades, se les debe dar trato igual que a los niños. Deben contar con los mismos derechos y las mismas oportunidades de cuidados, de alimentación, de educación, de salud y de diversión. Los niños y las niñas deben ser respetados por igual, tanto en sus sentimientos como en su cuerpo, como cuando decidan qué quieren ser cuando sean grandes.

No se trata de que los niños tengan ventajas sobre las niñas, ni tampoco que las niñas estén mejor que los niños, sino que todos, niños y niñas, hombres y mujeres, sean tratados como iguales y puedan estar contentos de que son respetados como las personas que quieren ser.

Cecilia Loría

Discriminación de género

Actualmente en nuestro país las mujeres no tienen las mismas oportunidades para desarrollarse que los hombres. Es decir, que sufren discriminación. Algunos ejemplos de actos de discriminación son no permitir a las niñas participar en juegos o actividades que se permiten a niños; no dar trabajo a las mujeres embarazadas, no pagarles igual que a los hombres en el mismo puesto; maltratarlas o golpearlas.

Por esto, los países de la Organización de las Naciones Unidas han determinado que los gobiernos deben promover la igualdad entre los géneros y la autonomía de la mujer. Una de las acciones urgentes es eliminar la falta de equidad entre los géneros en la enseñanza primaria y secundaria.

Rosario Castellanos

Rosario Castellanos es una gloria de la cultura mexicana. Ella, en sus libros, exploró la vida de las mujeres y los indígenas chiapanecos, procurando siempre apreciar la plenitud de sus valores humanos.

En este poema, la autora aconseja, sabia y justamente, elegir los pasos que se dan en la vida y hace una comparación de ello con la selección de los buenos granos de café.

Escogedoras de café en el Soconusco

En el patio qué lujo,
qué riqueza tendida.
(Cafeto despojado
mire el suelo y sonría.)

Con una mano apartan
los granos más felices,
con la otra desechan
y sopesan y miden.

Sabiduría andando
en toscas vestiduras.
Escoja yo mis pasos
como vosotras, justas.

Rosario Castellanos

La Medalla Rosario Castellanos, instituida el 5 de noviembre de 2004, es la máxima distinción que otorga el Congreso del Estado de Chiapas para premiar cada año a un mexicano o una mexicana que se haya distinguido por el desarrollo de la ciencia, arte o virtud en grado eminente como servidores de aquel estado, de la patria o de la humanidad.

La Medalla Rosario Castellanos es entregada por el gobernador del Estado, en sesión solemne, para conmemorar el fallecimiento de la escritora chiapaneca.

Para hacer

Análisis de circunstancias

En las escuelas suelen presentarse problemas que involucran a toda la comunidad escolar. Pueden ser atendidos cuando se analizan colectivamente y se buscan alternativas de solución.

Lee lo que ocurre en una escuela primaria a la cual asisten niñas y niños de tu edad.

Sucede que un grupo de niños de sexto se ha dedicado, en las últimas semanas, a molestar y quitar sus pertenencias a niños de primero y segundo durante el recreo y afuera de la escuela. Los pequeños no han dicho nada a sus maestras ni a su familia porque los de sexto los amenazaron con pegarle a quien los acuse.

Roberto no está de acuerdo con que sus compañeros actúen así. Decide informar a la directora de lo que está ocurriendo, aun cuando su mejor amigo está involucrado en el problema.

Comenta con tu grupo:

- ¿Cómo afecta a los niños pequeños ser víctimas del maltrato de los grandes?
- ¿Qué opinas de la decisión de Roberto?
- ¿Puede tomar otra decisión?
- ¿Imaginas qué pasará después de que Roberto hable con la directora?
- ¿Tú qué harías en una circunstancia así?
- ¿Qué harían para ser justos y no perjudicar a su amigo?

Discutan cómo evitar que ocurran injusticias en su escuela.

Para analizar esta u otra circunstancia, pueden servirse del sociodrama.

> **Recuerda:** todos los niños y todas las niñas deben ser respetados, por todas las personas, en su integridad física y moral. Cuentas con la ayuda de tus maestros, y existen leyes e instituciones que te defienden y que ayudan a las familias para resolver problemas de abuso o violencia.

Reflexión crítica

En la escuela son diversos los temas analizados y discutidos. Muchos de estos tópicos se relacionan con problemas que ocurren en tu país y te enteras de ellos a través de la radio, la televisión, o bien porque los vives de cerca. Es positivo que te intereses por entender lo que ocurre en tu entorno, pero debes considerar que la información que recibes no siempre es veraz, por lo que es importante que analices lo señalado por diversas fuentes. Para ello, al analizar una noticia tú y tu grupo, con la guía de tu maestra o maestro:

- Busquen información en al menos dos fuentes. No se conformen sólo con lo que dicen en la televisión o radio, consulten también periódicos. Pueden hacerlo mediante Internet.
- Comparen la información que presenta cada fuente. ¿Se complementan? ¿Hay contradicciones entre lo que dicen unas y otras?
- Analicen lo que dice cada una y vean qué es lo que resulta más creíble y confiable. Fíjense en la manera en que está expresada la información: ¿es agresiva, conciliadora, alarmante o banal? ¿O clara, confiable, equilibrada y completa?
- Al analizar la información estará cada uno en aptitud de reflexionar, y construir su propia opinión para tomar las decisiones que consideren adecuadas cuando sea necesario.

Realicen un ejercicio. Busquen información sobre una problemática actual que sea de su interés y reflexionen críticamente acerca de ella analizando sus fuentes de información.

Ejercicios

Para conocerme

Reflexiona acerca de lo que más te gusta y anota en la línea lo que se te pide en cada caso. También puedes dibujar, pegar fotos o recortes de revistas para hacer un cartel.

Mi color favorito es:

La música que más me gusta:

Mi canción preferida:

Mi cantante o actor favorito:

La película que más me ha gustado:

Mi ropa preferida:

El lugar donde más me gusta estar:

La persona con quien más me gusta platicar:

Mi mejor amiga:

Mi mejor amigo:

Mi mayor deseo:

Algo muy especial de mi persona es que:

Intercambia tu ejercicio con un compañero o compañera para que comenten en cuáles aspectos se parecen sus gustos y en cuáles son diferentes.

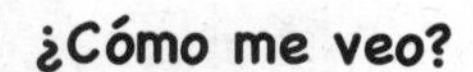

¿Cómo me veo?

Pega una fotografía tuya en el espacio siguiente, o dibújate.

Escribe tres cualidades relacionadas con tu forma de ser:

¿Qué características puedes mejorar? Escribe tres:

Reflexiona acerca de cómo puedes aprovechar tus cualidades para mejorar. Pregunta a otras personas y escribe en tu cuaderno un plan de acción para lograrlo.

Ejercicios

¿Todos iguales?

Lee el texto "Diferentes pero iguales", en la página 20.
Comenta en tu grupo y anota cómo es el trato hacia las mujeres en tu salón de clase con respecto a:

La distribución de tareas en los trabajos de equipo:

La participación en juegos a la hora del recreo:

La participación en las actividades escolares:

Marca con una X el cuadro que corresponda a la forma en que se dan las relaciones entre niñas y niños en tu salón de clase.

EL TRATO DIARIO ENTRE NIÑOS Y NIÑAS ES:	SIEMPRE	CASI SIEMPRE	POCAS VECES
RESPETUOSO			
SOLIDARIO			
DE IGUALDAD			

Analiza los resultados y reflexiona acerca de cómo se puede establecer mayor igualdad entre niñas y niños.

Para mejorar las relaciones entre hombres y mujeres en mi grupo, YO ...

Ejercicios

Me cuido

En la página 16, lee "Cuidar nuestra integridad física y emocional", incluyendo el esquema. Comenta el contenido con tus compañeros, con tus papás o adultos de tu confianza para que te ayuden a realizar el ejercicio siguiente.
Escribe enunciados que se refieran a maneras de protegerte de cualquier forma de abuso o maltrato. La frase debe iniciarse con la letra correspondiente de la palabra INTEGRIDAD.

I ________________

N ________________

T ________________

E ________________

G ________________

R ________________

I ________________

D ________________

A ________________

D ________________

http://autoevaluación

Autoevaluación

¿Cómo voy?

Escoge la respuesta que mejor describe tu desempeño y colorea la figura.

Siempre **Casi siempre** **Casi nunca** **Nunca**

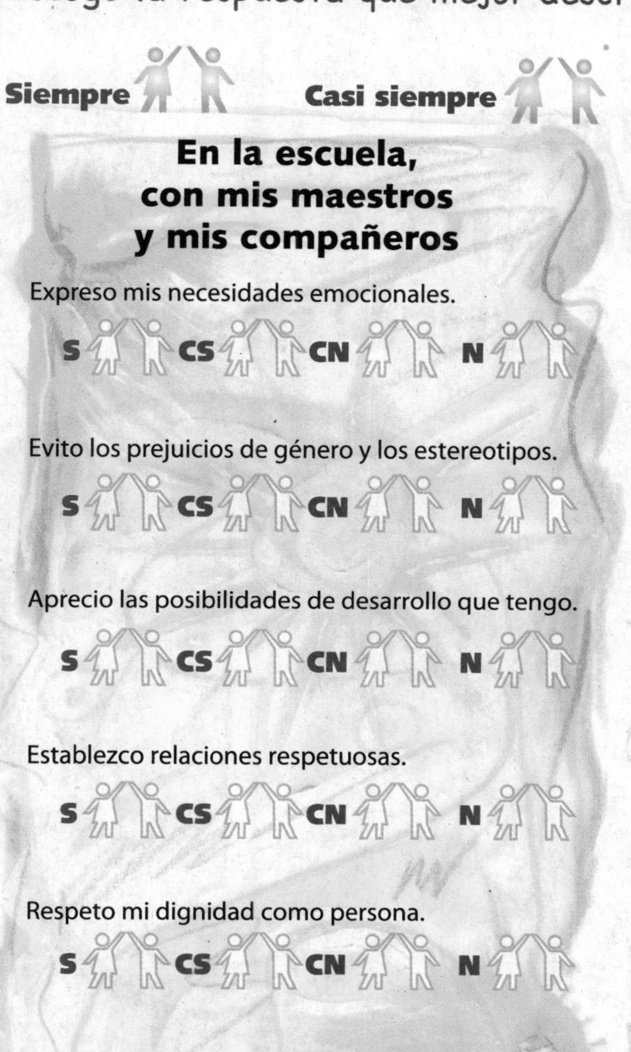

En la escuela, con mis maestros y mis compañeros

Expreso mis necesidades emocionales.

S **CS** **CN** **N**

Evito los prejuicios de género y los estereotipos.

S **CS** **CN** **N**

Aprecio las posibilidades de desarrollo que tengo.

S **CS** **CN** **N**

Establezco relaciones respetuosas.

S **CS** **CN** **N**

Respeto mi dignidad como persona.

S **CS** **CN** **N**

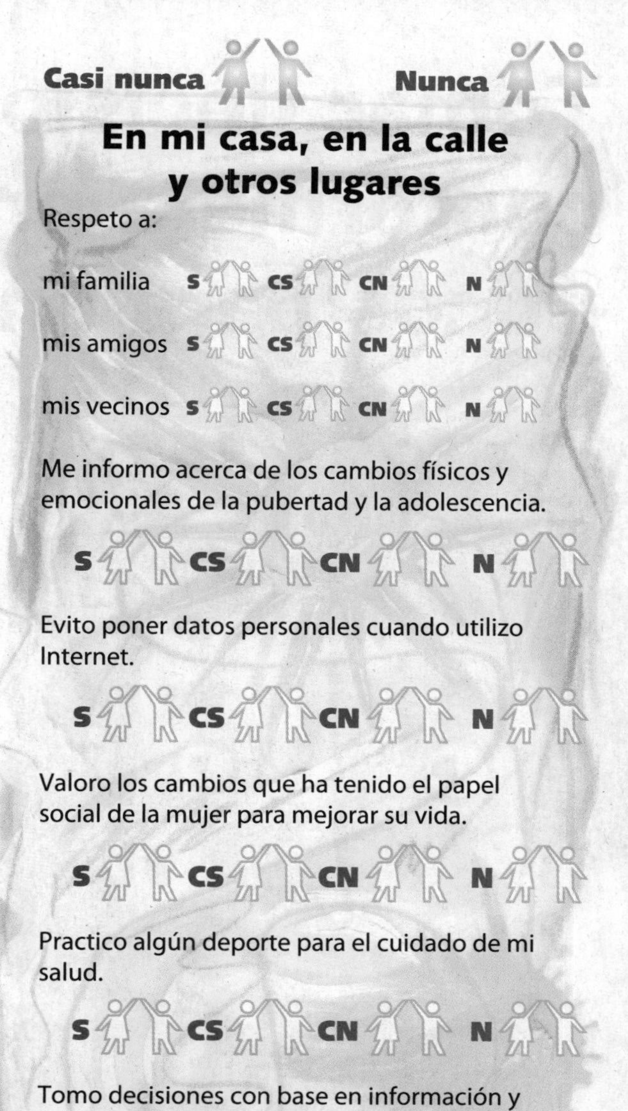

En mi casa, en la calle y otros lugares

Respeto a:

mi familia **S** **CS** **CN** **N**

mis amigos **S** **CS** **CN** **N**

mis vecinos **S** **CS** **CN** **N**

Me informo acerca de los cambios físicos y emocionales de la pubertad y la adolescencia.

S **CS** **CN** **N**

Evito poner datos personales cuando utilizo Internet.

S **CS** **CN** **N**

Valoro los cambios que ha tenido el papel social de la mujer para mejorar su vida.

S **CS** **CN** **N**

Practico algún deporte para el cuidado de mi salud.

S **CS** **CN** **N**

Tomo decisiones con base en información y opiniones confiables.

S **CS** **CN** **N**

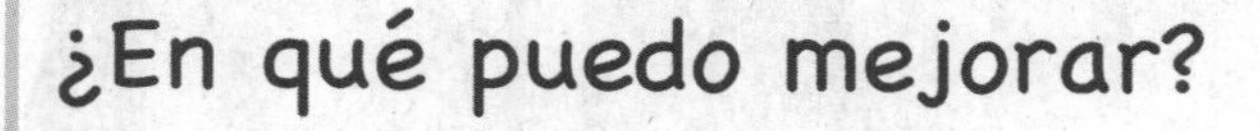

¿En qué puedo mejorar?

____

____

Tomar decisiones conforme a principios éticos para un futuro mejor

Con el aprendizaje y la práctica podrás:

- Aprender qué es la libertad, controlar tus emociones y fijarte metas a mediano y largo plazo.
- Saber que los derechos humanos protegen la dignidad de las personas.

Platiquemos

Las distintas circunstancias en que vives a lo largo del día te hacen sentir diversas emociones y sentimientos que influyen en la manera en que llevas a cabo tus actividades. Por ejemplo, cuando estás alegre tienes ganas de cantar, de platicar con las personas que te encuentras; haces todo con rapidez, imaginas con facilidad cómo realizar tus tareas y tu creatividad se manifiesta en todo. Por el contrario, si estás triste, no tienes muchas ganas de hablar ni de salir y podrían parecerte difíciles tus actividades.

Generalmente las emociones se reflejan en la expresión del rostro de las personas, en su postura del cuerpo y su disposición para hacer cosas. Observa a tu alrededor y trata de adivinar las emociones de las personas que están a la vista. ¿Cómo se ve su cara, alegre, triste, preocupada, tranquila? La expresión de las emociones puede variar con la cultura y la edad de las personas, por lo que no siempre podrás adivinar qué sienten.

Conocer tus emociones y aprender a actuar conforme a principios éticos es parte de tu desarrollo. Pensar en tus emociones y darte cuenta de cómo reaccionas es una forma de conocerte y de orientar tu atención y empeño hacia cosas positivas que te hagan sentir bien. Esto no significa negar lo que sientes, ni lo que te pueda

Carmen Serdán fue, junto con sus hermanos, una de las iniciadoras de la Revolución.

Francisco I. Madero trabajó incansablemente por la democracia. Llamó al levantamiento armado el 20 de noviembre de 1910.

En la Revolución Mexicana se luchó por principios éticos de justicia, democracia y libertad en un nuevo orden constitucional.

hacer daño o ponerte triste o enojado, sino reflexionar y encauzar las emociones que te puedan dañar.

Los seres humanos podemos sentir una gran variedad de emociones. Todas las personas alguna vez hemos sentido miedo, angustia, preocupación, enojo o vergüenza. Identificar estos sentimientos te ayuda a que trates de averiguar qué los provoca. Lo que no es adecuado es tener permanentemente sensaciones negativas porque tu salud puede verse afectada, lo mismo que la manera en que te relacionas con los demás.

Es importante controlar la forma en que reaccionamos o expresamos cada emoción para evitar dañarnos o dañar a otras personas. Es natural que te enojes si tu hermano rompe tu juguete preferido y que además expreses tu enojo. No se trata de que niegues lo que sientes y sigas como si nada hubiera pasado, pero lo que sí deberás evitar es lastimar a tu hermano, romperle tú su juguete favorito o gritarle cosas desagradables. Será necesario que al expresar tu enojo digas cómo te sientes y cuánto te ha molestado lo que pasa para que no vuelva a ocurrir algo así. Es importante escuchar para saber cómo ocurrieron las cosas. Tal vez fue un

Emiliano Zapata combatió para lograr el reparto agrario. Éste se consolidó durante el régimen presidencial de Lázaro Cárdenas

http://platiquemos

Platiquemos

accidente. Platica para averiguar si es posible reparar el daño o llegar a un acuerdo justo. Esto debe ayudarte a controlar tu enojo.

Cada persona tiene la capacidad de regular y orientar sus acciones. La autorregulación es un proceso basado en la reflexión y el análisis de uno mismo con la intención de controlar los actos propios y realizar conductas que internamente se saben correctas.

Para regular tu propia acción es necesario que te conozcas a fondo, reconozcas tus cualidades y defectos, así como lo que te gustaría lograr o cambiar. También es necesario que tomes en cuenta los valores y los sentimientos de los demás, así como las razones que impulsan a las personas a actuar. Al analizar lo que sucede en tu ambiente y la influencia de tu medio natural y social en ti, podrás ir tomando mejores decisiones.

Las experiencias que tienes en tu escuela al escuchar las opiniones de tus compañeros, los conocimientos que vas adquiriendo, así como por la guía de los adultos con quienes convives, son elementos que enriquecen tu juicio al aportar razones y argumentos para que tomes tus propias decisiones. Sin embargo, al tener libertad para decidir, deberás hacerte cargo de las consecuencias de tus actos. Por eso, cuan-

Rosa Bobadilla, coronela zapatista, participó como combatiente en la Revolución como parte del Estado Mayor de Emiliano Zapata

do optes por efectuar una acción, imagina los efectos positivos y negativos que ésta puede tener sobre ti y sobre los demás.

A diferencia de lo que ocurre en la niñez, durante la pubertad y adolescencia consideras lo que quieres para el futuro, esto es, empiezas a hacer planes para tu vida. Para lograr tus metas, es necesario que elabores un plan en el que incluyas la idea de lo que piensas hacer, las acciones que llevarás a cabo, con quién hacerlo, cuándo lo harás, qué necesitas y con qué cuentas. Sobre todo es necesario que tengas capacidad de trabajo, tenacidad, creatividad, entusiasmo y sentido de responsabilidad.

El proyecto que tenemos todos los seres humanos es la vida. Necesitamos valorarla para lograr una existencia mejor para todos, la cual nos puede dar alegría, satisfacción y sustento.

Dos valores centrales en la vida de toda persona y de la sociedad son la justicia y la equidad. La justicia es la voluntad constante y permanente de dar a cada persona lo que le corresponde según sus derechos. La equidad es dar a las personas lo que necesitan tomando en cuenta las diferencias que hay entre ellas para compensar esa desigualdad.

Francisco Villa y la División del Norte contribuyeron de manera decisiva al triunfo de la lucha revolucionaria.

Platiquemos

Es justo que a todas las personas se les respete, proteja y se dé cumplimiento a los derechos que las leyes les otorgan; de no ser así, se comete una injusticia.

Las personas y las sociedades establecen criterios y prácticas para vivir mejor y aplicar la justicia. Por ello se establecen normas que procuren la justicia distributiva y la justicia retributiva.

La justicia distributiva procura que todas las personas puedan disfrutar de los bienes que son imprescindibles. Se aplica el principio de equidad para dar ayuda a las personas y grupos que están en desventaja de manera que tengan acceso a los bienes necesarios para mejorar sus condiciones de vida. Por eso las autoridades y los grupos sociales crean programas que mejoran e impulsan la nutrición, la educación y la salud de grupos que viven en condiciones difíciles.

La justicia retributiva cuida que, si alguien daña un bien, se le sancione de tal manera que repare el daño provocado. Se considera justo que las personas asuman su responsabilidad si destruyen los bienes comunes o los de cualquier persona.

Tú puedes argumentar en contra de acontecimientos cotidianos que implican injusticias porque conoces los derechos humanos y sabes que todos debemos disfrutar de ellos.

Una buena guía para juzgar si una acción o un hecho es justo o injusto es pensar permanentemente en los derechos humanos y cómo estos deben ser siempre respetados.

El grabado, un arte popular de México, fue utilizado para mostrar escenas de la lucha revolucionaria. Éste es de Leopoldo Méndez y muestra a los hermanos Flores Magón y al grabador José Guadalupe Posada.

Que las niñas y los niños tengan que trabajar desde edad muy temprana, y que por esa razón no asistan a la escuela o lo hagan de manera irregular, es injusto. Las condiciones de vida que impiden que vayan a la escuela son injustas porque van en contra de los derechos humanos que garantizan las leyes de nuestro país.

La Constitución Política establece en su artículo 123 que los menores de 14 años no pueden ser contratados en ningún establecimiento. Esta disposición tiene muchos argumentos, entre ellos, que niñas y niños puedan desarrollarse adecuadamente y que estudien cuando menos la educación básica, que abarca hasta la secundaria, para desempeñarse de mejor manera cuando crezcan y obtener un salario digno por su trabajo. En otro artículo la Constitución Política señala que los padres tienen la responsabilidad de cuidar el sano desarrollo de sus hijos y de enviarlos a la escuela a recibir educación básica.

Como puedes darte cuenta, aun cuando las leyes establecen medidas de protección para los menores, algunas de esas garantías no se cumplen por condiciones de pobreza, ignorancia y desigualdad.

Reconocer injusticias y estar informado al respecto te ayuda a integrar una opinión libre y argumentada. Tú puedes orientar tu conducta hacia acciones que promuevan la justicia en todos tus ámbitos de acción.

No se conocen los nombres de muchas mujeres combatientes, pero todas ellas pelearon con mucho valor.

Venustiano Carranza fue el promotor de la Constitución Política de los Estados Unidos Mexicanos, promulgada en Querétaro en 1917.

Para aprender más

Leyes y legalidad

Las leyes norman la forma en que los seres humanos viven y trabajan juntos. Las leyes establecen los límites de lo que pueden hacer las personas, e indican la forma de resolver diferencias cuando se presenta un conflicto. Para que un sistema de leyes funcione, todos los ciudadanos tenemos que creer en ellas, respetarlas, estar seguros de que a todos nos sirven de la misma manera y que no hay favoritismos o distinciones en su aplicación.

El sistema de leyes de una sociedad proviene de lo que se llama estado de derecho, que es la manera en que los seres humanos nos organizamos para asegurar que las leyes sean imparciales y justas, y para garantizar que el gobierno no usará su poder en contra de los ciudadanos. Para que exista el estado de derecho deben darse tres condiciones: 1) que las leyes garanticen los derechos de las personas y protejan sus pertenencias, como una casa, un coche o una fábrica; 2) que exista un árbitro eficiente (el Poder Judicial) que haga cumplir y defienda esos derechos, e impida el abuso y la arbitrariedad tanto del gobierno hacia las personas como de una persona a otra; 3) que todos los ciudadanos conozcan las leyes y estén seguros de que no existirán injusticias o abusos, es decir, que las leyes se aplicarán a todos por igual.

La legalidad significa que todos los miembros de la sociedad aceptan las reglas del juego (es decir, las leyes) y las obedecen. Para que esto suceda es necesario que el gobierno asegure a los ciudadanos que esas reglas y leyes serán cumplidas. Cuando todos los ciudadanos aceptan respetar las leyes y el gobierno las hace cumplir de manera equitativa, el país vive en legalidad. Nuestra historia nos enseña que no es suficiente querer ser un país de leyes, es decir, un país con muchas leyes en papel. Es necesario que con el trabajo y la voluntad de todos (gobierno, partidos políticos y ciudadanos) ayudemos a que la aplicación de las leyes sea una realidad.

Luis Rubio,
Centro de Investigación para el Desarrollo, A. C.

Compromisos de los niños

Nuestros compromisos:

- Nos comprometemos a respetar a nuestros semejantes, sin importar su sexo, nivel socioeconómico, religión, nacionalidad o sus impedimentos físicos o mentales.
- Nos comprometemos a respetar a nuestros padres, maestros y a todas las personas, pues entre todos nos ayudan a encontrar el camino que conduce de la infancia a la vida adulta.
- Nos comprometemos a respetar a nuestro país: en él tenemos nuestra casa y nuestra escuela, de su tierra obtenemos nuestros alimentos. En nosotros está el ser ciudadanos que hagan de este país un lugar donde todos podamos vivir.
- Nos comprometemos a respetarnos a nosotros mismos. Nuestro cuerpo, nuestros pensamientos y nuestros sentimientos son lo más importante que tenemos.
- Nos comprometemos a respetar las leyes que rigen a la sociedad, y las normas que tenemos en la casa y en la escuela.
- Nos comprometemos a hablar siempre con la verdad y a cumplir lo que prometemos.
- Nos comprometemos a respetar y cuidar el medio ambiente.
- Nos comprometemos a aprender y respetar las opiniones y costumbres de los demás, aunque no sean iguales a las nuestras.

Comisión de Derechos Humanos del D. F.

Índice de Desarrollo Humano

Anualmente, el Programa de las Naciones Unidas para el Desarrollo publica el Índice de Desarrollo Humano (IDH), un instrumento de comparación entre distintos países que sirve para medir el progreso general de un país, el bienestar logrado en las condiciones de vida de sus habitantes. El IDH califica la calidad de vida de la población, con base en estos indicadores: salud y esperanza de vida, educación e ingreso económico.

Entre 182 países, en 2009 México ocupó el lugar 53; sin embargo, éste es un promedio que no muestra las diferencias que hay en el interior de nuestro país, entre los estados, municipios, pueblos y, en general, entre los individuos.

En el mapa puedes ver la situación mundial de este índice de bienestar que se expresa numéricamente, y donde el valor más alto es 1 y el más bajo, 0.

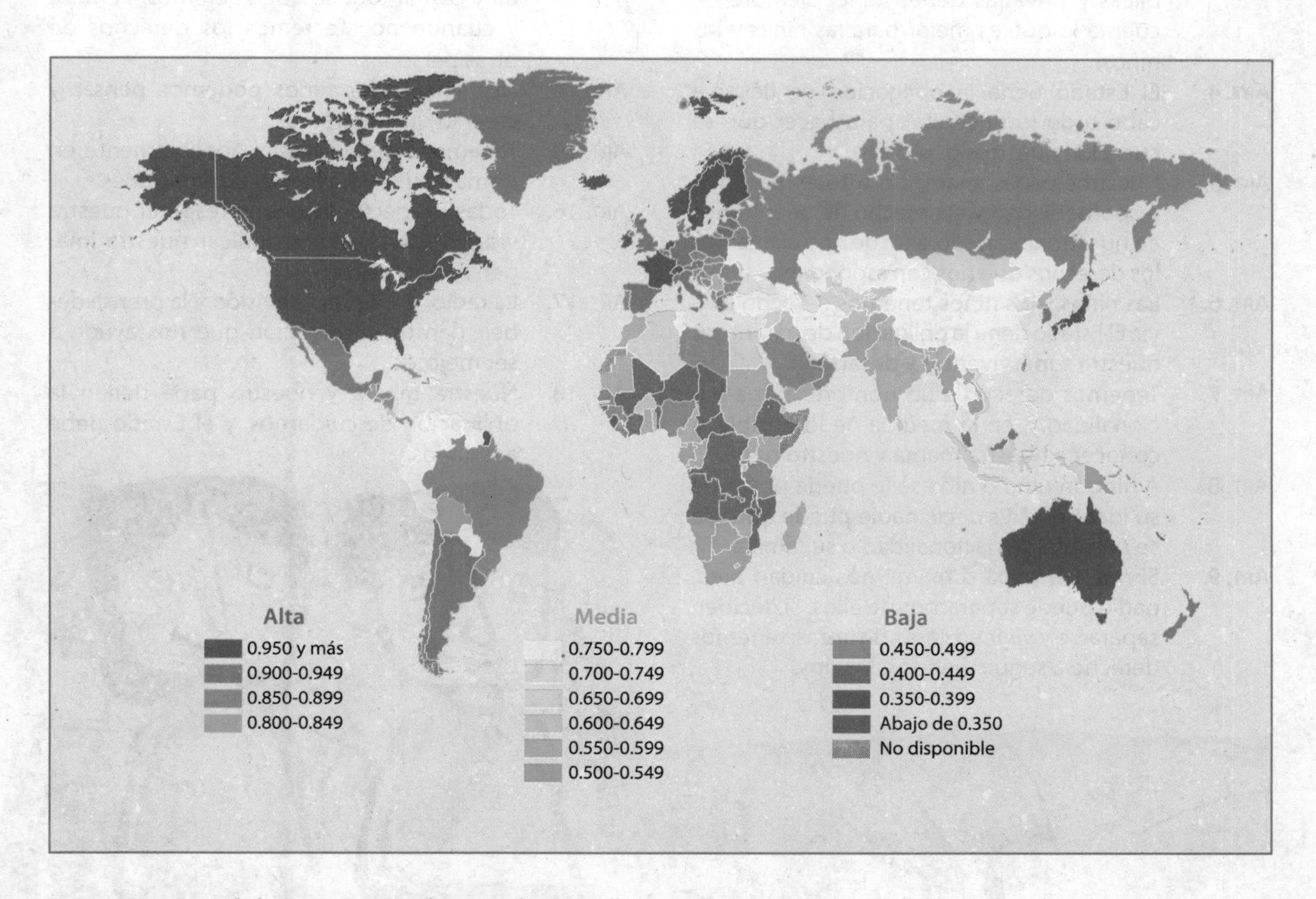

Fuente: Programa de las Naciones Unidas para el Desarrollo, 2009

Para aprender más

La Convención de la ONU sobre los Derechos de la niñez. Versión para niñas y niños

Esta convención promueve tu bienestar al establecer los derechos de las niñas y los niños. México está obligado a cumplir sus disposiciones y principios, porque los ratificó en 1990.

ART. 1. Somos niñas y niños los que tenemos menos de 18 años de edad.

ART. 2. Todos los niños y las niñas tenemos estos derechos, sin distinción de raza, sexo, color, religión, idioma, opinión política, posición social o económica, impedimentos físicos o por la condición de nuestros papás, mamás o tutores.

ART. 3. Todas las acciones de las instituciones públicas y privadas deben tener siempre en cuenta lo que es mejor para las niñas y los niños.

ART. 4. El Estado tiene la obligación de llevar a cabo todo lo necesario para hacer que se cumplan nuestros derechos.

ART. 5. Nuestros papás, mamás o tutores tienen la responsabilidad y el derecho de orientarnos en nuestro desarrollo, a fin de que ejerzamos los derechos que nos corresponden.

ART. 6. Las niñas y los niños tenemos derecho a vivir. El Estado tiene la obligación de garantizar nuestra supervivencia y desarrollo.

ART. 7. Tenemos derecho a un nombre, a una nacionalidad y, en la medida de lo posible, a conocer a nuestra mamá y nuestro papá.

ART. 8. A ningún niño o niña se le puede privar de su identidad. Es decir, nadie puede quitarle su nombre, su nacionalidad o su familia.

ART. 9. Si nuestro papá o mamá nos cuidan bien, nadie puede separarnos de ellos. Si deciden separarse y vivir en casas distintas, tenemos derecho a seguir viendo a los dos.

ART. 10. Si nuestro papá, mamá o los dos viven fuera de México, nuestro gobierno y los gobiernos extranjeros deben ayudar a reunirnos.

ART. 11. Nadie puede llevarnos o retenernos en el extranjero de manera ilegal.

ART. 12. Tenemos derecho a opinar sobre los asuntos que nos afectan y nuestra opinión debe tomarse en cuenta.

ART. 13. Las niñas y los niños podemos hablar, escribir y contar todo lo que queramos, siempre y cuando no afectemos los derechos de otras personas.

ART. 14. Las niñas y los niños podemos pensar y creer lo que queramos.

ART. 15. Tenemos derecho a reunirnos libremente, en forma pacífica, y a formar agrupaciones.

ART. 16. Todas las personas deben respetar nuestra vida privada y no perjudicar nuestra imagen o reputación.

ART. 17. La radio, el cine, la televisión y la prensa deben darnos información que nos ayude a ser mejores.

ART. 18. Nuestra mamá y nuestro papá tienen la obligación de cuidarnos, y el Estado debe ayudarlos.

ART. 19. El Estado debe protegernos de abusos y maltratos, ya sea que provengan de nuestro papá, mamá, o cualquier persona.

ART. 20. Si no vivimos con nuestra familia, las autoridades deben ofrecernos protección y cuidados especiales.

ART. 21. Si una familia quiere adoptarnos, nuestros parientes más cercanos deben estar de acuerdo, y esto lo tiene que autorizar un juez.

ART. 22. Si en alguna ocasión nos obligan a salir de nuestro país y nos refugiamos en otro, el país al que lleguemos debe acogernos y brindarnos protección.

ART. 23. Quienes padecemos algún problema físico o mental tenemos derecho a recibir ayuda especializada y a participar plena y dignamente en la sociedad.

ART. 24. Las niñas y los niños tenemos derecho a recibir una buena alimentación, a tomar agua potable y acceder a los servicios de salud. Además las autoridades deben prohibir las prácticas que perjudiquen nuestra salud.

ART. 25. Si vivimos en una casa hogar o en un hospital, tenemos derecho a que se revisen de manera periódica las circunstancias que nos llevaron a ingresar a esas instituciones.

ART. 26. Todas las niñas y los niños tenemos derecho a beneficiarnos de la seguridad social.

ART. 27. Nuestro padre y nuestra madre tienen la responsabilidad de ofrecernos un nivel de vida adecuado que nos permita desarrollarnos en lo físico, mental, espiritual, moral y social. Si ellos no pueden hacerlo, el Estado debe ayudarlos.

ART. 28. Todos tenemos derecho a la educación. En nuestro país la educación básica es gratuita y obligatoria. En la escuela no deben imponernos castigos que vayan en contra de nuestra dignidad.

ART. 29. La educación que recibimos debe desarrollar al máximo nuestras capacidades y aptitudes. Nos deben enseñar a respetar los derechos humanos y las libertades fundamentales de todas las personas, así como apreciar nuestra cultura y respetar la naturaleza.

ART. 30. Las niñas y los niños que pertenecemos a algún grupo indígena o religioso tenemos derecho a vivir nuestra propia cultura, a practicar nuestra religión y a hablar nuestro propio idioma.

ART. 31. Tenemos derecho a descansar, a jugar y a participar en actividades culturales y artísticas.

ART. 32. Nadie puede obligarnos a hacer trabajos que afecten nuestra salud, desarrollo y educación. Con el fin de protegernos, el Estado debe establecer las edades en que podemos empezar a trabajar, así como los horarios y las condiciones laborales.

ART. 33. Las autoridades deben protegernos del uso de drogas e impedir que personas adultas nos utilicen para producir o vender esas sustancias.

Para aprender más

ART. 34. Tenemos derecho a que nos protejan contra todas las formas de explotación y abuso sexual. Nadie debe utilizarnos para fines sexuales, como la pornografía y la prostitución infantil.

ART. 35. Nadie puede comprar o vender a un niño o a una niña.

ART. 36. Tenemos derecho a que nos protejan contra cualquier forma de abuso o actividad que nos haga daño.

ART. 37. Ningún niño o niña debe ser objeto de torturas, castigos inhumanos o pena de muerte. Si desobedecemos la ley, tenemos derecho a recibir ayuda legal adecuada y a comunicarnos con nuestra familia.

ART. 38. Las niñas y los niños no debemos participar en guerras y merecemos protección y cuidados especiales.

ART. 39. Si alguien nos maltrata o agrede, tenemos derecho a recibir un tratamiento que nos permita recuperarnos.

ART. 40. Si nos acusan de violar la ley penal, tenemos derecho a un abogado para que nos defienda. Además deben respetarse todos nuestros derechos fundamentales.

ART. 41. Si en un país hay leyes que nos protegen mejor que la Convención, tenemos derecho a que se nos apliquen esas leyes.

ART. 42. El gobierno debe dar a conocer nuestros derechos de manera amplia para que niñas, niños y personas adultas los conozcamos por igual.

ART. 43. Existe un comité de la ONU que vigila el cumplimiento de nuestros derechos.

ART. 44. El gobierno debe informar al comité lo que ha hecho para que se cumplan y respeten nuestros derechos.

ART. 45. Otras instituciones e incluso nosotros mismos podemos informar a ese comité sobre el cumplimiento de nuestros derechos.

Versión de la Comisión de los Derechos Humanos del Distrito Federal

El progreso ético

El progreso moral de una sociedad se mide, en primer lugar, por la ampliación de la esfera moral en la vida social. Y, en segundo lugar, por la elevación del carácter consciente y libre de la conducta de los individuos o de los grupos sociales y, en consecuencia, por la elevación de la responsabilidad de dichos individuos o grupos en su comportamiento moral. Una sociedad es tanto más rica moralmente cuanto más posibilidades ofrece a sus miembros para que asuman la responsabilidad personal o colectiva de sus actos; es decir, cuanto más amplio sea el margen que se les ofrece para aceptar consciente y libremente las normas que regulan sus relaciones con los demás. En este sentido, el progreso moral es inseparable del desarrollo de la libre personalidad.

Adolfo Sánchez Vázquez

Violencia entre alumnos: intimidación y acoso

¿Has sido víctima o sabes de niños que hayan sufrido actos dañinos, intencionales y repetidos —incluyendo dolor físico, apodos ofensivos, insultos, exclusión, bromas pesadas y humillación pública— de parte de compañeros de la escuela o a través de Internet? Esto se llama intimidación o acoso, y es una violación a tus derechos. ¡No lo permitas! Pide ayuda a tus padres, maestros o autoridades. Nadie tiene derecho a abusar de nadie. Buscar ayuda es símbolo de fortaleza y autoprotección.

La tolerancia

El cúmulo de injusticias y tragedias provocadas por no admitir las diferencias obligó a redefinir la tolerancia. Ya no es tan sólo aceptar la convivencia con los que son distintos, sino darle espacio al juicio racional. La tolerancia no es la aceptación fastidiosa de lo distinto, sino el intercambio de formas de entendimiento. No hay tal cosa como las comunidades homogéneas. Comprender a los demás y practicar la tolerancia es bastante más que dejar hacer lo que la persona o la colectividad no podrían interrumpir, es la certidumbre de que en el siglo XXI no se puede tolerar a la intolerancia activa y que la convivencia es el gran método de acercamiento a los otros. Tolerar es entender, y el respeto al derecho ajeno es también el proceso donde las mentalidades, las costumbres, las orientaciones ajenas, enriquecen nuestra visión del mundo. Tolerar no es compartir otros credos o comportamientos, es verlos como parte de la diversidad que decretan las leyes y que aceptan, porque así debe ser, el sentido común y el proceso civilizatorio.

Carlos Monsiváis

http://el_poder_de_la_palabra

Para hacer

El poder de la palabra

Hola, niño o niña:

Sí, soy yo, Marco Tulio, tu profesor del ARTE DE HABLAR PARA CONVENCER. ¿Quieres hacer una propuesta? Recuerda lo que has aprendido conmigo.

Hoy ya sabes pedir las cosas correctamente, llamar la atención de personas distraídas, por ejemplo siendo valiente en reconocer tus errores; sabes defender a inocentes, alabar a alguien, e incluso dar consejo a un amigo.

Como es posible que después de esta clase no vuelvas a verme, quiero hacerte algunas reflexiones y sugerencias, que ojalá te sirvan de guía en tu vida.

¿Alguna vez has oído este dicho: "El burro hablando de orejas"? Significa que quien habla debe reunir ciertas cualidades, de modo que al hablar no se convierta en objeto de burla, de desprecio, o aun de humillación, por parte de quienes lo oigan. Lo que ocurre es que en la vida cotidiana por naturaleza acusamos a los demás y nos defendemos a nosotros mismos.

Como quiera que esto sea, en la fórmula de la defensa o acusación, de la alabanza o consejo, se halla implícito un modo de querer ser, quizá de querer obrar correctamente en el más amplio sentido de la palabra, obrar de acuerdo con las leyes, para tener la conciencia tranquila, para ser felices.

Cuando se acusa a alguien, el que oye exige de modo inconsciente que el acusador no haya cometido los mismos errores del acusado, al menos algunos semejantes.

En consecuencia, el que habla ha de aprender, entre otras virtudes, a ser "una niña o un niño sencillo", para que la gente lo aprecie y lo quiera por ese motivo; a ser honrado, para que nunca le echen la culpa de nada; a evitar acciones que dañen la dignidad de otros; a no hacer uso arrogante de su fuerza, de su poder, de sus influencias, para que la gente no lo desprecie, no lo odie.

Hay una ventaja en el hecho de hablar con mucha meditación y siguiendo los pasos que ya conoces. Cuando se alaba a una persona porque es respetuosa, valiente, sabia, alegre, al que alaba le dan ganas, o siente la necesidad, de ser respetuoso, valiente, sabio, alegre; esto es, repito, por naturaleza: todos queremos ser alabados por las mismas razones por las cuales se alaba a otros.

Y al contrario, puesto que tú no quieres ser acusado de nada, te esforzarás por ser respetuoso de la comunidad donde vives.

Cuando das un consejo te lo das a ti mismo, y mientras mejor lo des, mejor lo recibes. Por ejemplo, si aconsejas a un amigo tuyo que evite cierta fechoría porque pondría en riesgo su libertad o su salud, tampoco tú la cometerías, porque tú mismo descubriste los peligros que conlleva. Así, al mostrar a otros el camino de la tranquilidad, tú mismo querrás seguirlo.

Recuerda finalmente: sé valiente para hablar y decir la verdad. Las palabras se erigen en instrumento de vida: pueden encauzar la vida de quien las dice y de quien las oye.

Ejercicios

Expreso mis emociones

Reflexiona acerca de tus reacciones en circunstancias difíciles.
¿Cómo reaccionas cuando...?

CIRCUNSTANCIA	TU REACCIÓN	TE PARECE	
		ADECUADA	INADECUADA
Tu mamá te manda por tercera vez a traer algo a la tienda.			
Tu hermana menor rompe tu objeto favorito.			
Tu mejor amigo olvida tu fiesta de cumpleaños.			
Tu maestra o maestro te llaman la atención por algo que no hiciste.			
Tus amigos te hacen una broma y te ponen en ridículo ante alguien que te gusta.			

¿En cuál o cuáles de esas condiciones consideras que dejas de respetar a los demás?

¿Cómo puedes modificar tus respuestas para que no lastimes a las personas y tampoco te dañes tú?

Decido

Al tomar decisiones hay aspectos que son fundamentales para nosotros. Analiza las circunstancias siguientes. Elige y marca con una X qué decisión tomarías en cada caso.

- Algunos compañeros se están organizando para "irse de pinta".

YO:

☐ No iría porque no me gusta mentir a mis padres.

☐ Iría porque nunca me he ido de pinta.

☐ Iría porque soy libre para decidir qué hacer.

☐ No iría porque correría muchos riesgos.

Otra razón para ir: ____________________

Otra razón para no ir: ____________________

Considero que la decisión señalada es la mejor porque para mí es importante:
____
____

Ejercicios

- Un amigo me invitó a fumar y dice que es muy interesante.

YO:

- [ ] Voy a probar para saber qué se siente.
- [ ] Voy a aceptar para que no diga que soy cobarde.
- [ ] No voy a fumar porque mi salud estaría en peligro.
- [ ] Me voy a negar porque mis papás me van a regañar.

Otra razón para no aceptar la invitación es: ______________________________

Otra razón para aceptar la invitación es: ______________________________

Considero que la decisión seleccionada es la mejor porque para mí es importante:

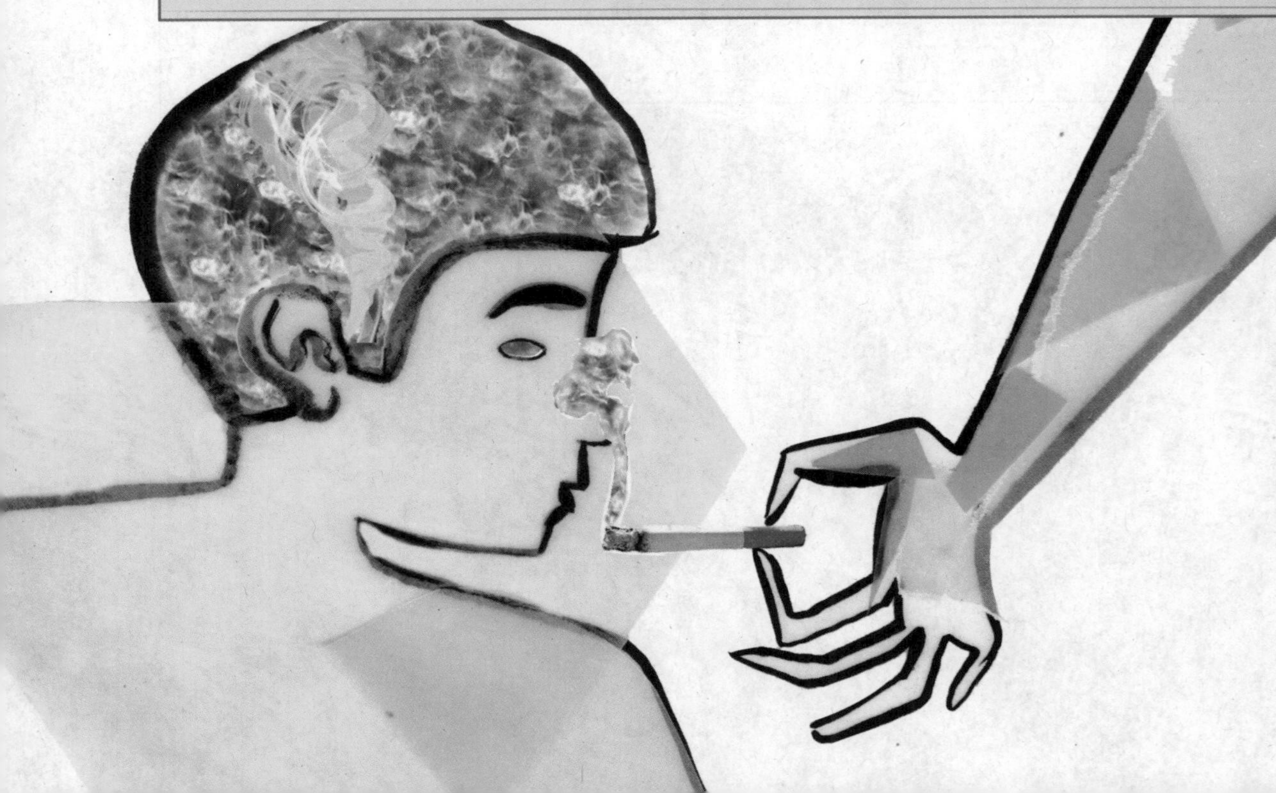

Mis compromisos

Lee el texto "Compromisos de los niños" en la página 38. Selecciona los tres compromisos que consideres más relevantes y escríbelos en la primera columna del siguiente cuadro. Completa la segunda columna anotando tres acciones mediante las cuales puedes cumplir cada uno de dichos compromisos.

Mis compromisos más relevantes	Mis acciones para cumplirlos
	• • •
	• • •
	• • •

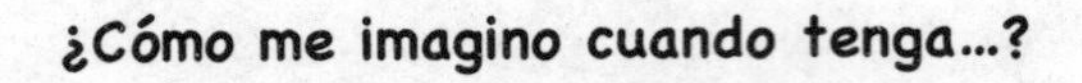

Ejercicios

¿Cómo me imagino cuando tenga...?

Reflexiona y anota en las líneas cómo esperas ser o qué estarás haciendo cuando tengas la edad que se señala.

Cuando tenga 15 años, yo ______________

____

____

Cuando tenga 18 años, yo ______________

____

____

Cuando tenga 25 años, yo ______________

____

____

Cuando tenga 35 años, yo ______________

____

____

http://autoevaluación

Autoevaluación

¿Cómo voy?

Escoge la respuesta que mejor describe tu desempeño y colorea la figura.

Siempre  **Casi siempre**  **Casi nunca**  **Nunca** 

En la escuela, con mis maestros y mis compañeros

Expreso mis emociones sin dañar a otros.

Fijo metas precisas para distintos aspectos de mi vida:

estudios S CS CN N

recreación S CS CN N

familia S CS CN N

amistades S CS CN N

Establezco una agenda para el logro de mis propósitos personales.

S CS CN N

Mis decisiones se basan en algunos principios éticos como la justicia, la equidad y el respecto a los demás.

S CS CN N

Acepto que se aplique la justicia aunque me afecte.

En mi casa, en la calle y otros lugares

Expreso mis emociones sin ira, llanto o frustración.

S CS CN N

Evito ofender o herir a las personas con quienes convivo por cambios en mi estado de ánimo.

S CS CN N

Soy persistente en alcanzar las metas que me propongo.

S CS CN N

Argumento por qué una acción me afecta o daña a los otros.

S CS CN N

Promuevo o apoyo acciones en mi casa y localidad para dar trato justo y equitativo a las personas.

S CS CN N

¿En qué puedo mejorar?

____

____

Desafíos de las sociedades actuales

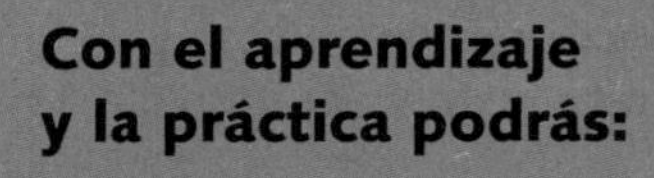

Con el aprendizaje y la práctica podrás:

- Reconocer que en la comunidad, en la nación y en el mundo se presentan relaciones justas e injustas.
- Identificar y rechazar la discriminación.
- Cuidar y proteger el ambiente.
- Respetar y apreciar la diversidad.
- Saber que formas parte de la comunidad, de la nación y del mundo.

Platiquemos

Las sociedades actuales se caracterizan por su interdependencia. Las naciones y los pueblos ya no están aislados, sino en continua relación unos con otros. Los movimientos migratorios se han intensificado y el comercio se ha expandido. Las telecomunicaciones ponen en contacto regiones alejadas unas de otras. La conciencia de pertenecer a un mismo planeta se ha hecho más clara.

Juntos, los países del mundo enfrentan enormes desafíos, como son la necesidad de producir alimentos, vivienda y combustible; brindar atención médica y educación; prevenir enfermedades; abastecerse de agua, dar destino a sus desechos; cuidar el ambiente, asegurar la renovación de sus recursos naturales y cuidar los que no son renovables; prevenir desastres y promover la cultura de la paz.

Al realizar tus actividades con el mejor esfuerzo y aprovechando los recursos a tu alcance, tanto en la escuela, la casa y todas tus actividades diarias estás siendo productivo y así contribuyes al desarrollo de tu país.

Tal vez el desafío mayor para las naciones del mundo sea el de construir relaciones de interdependencia justa y solidaria. Sólo así se podrá dar cumplimiento a los derechos humanos en todo el mundo, y avanzar como sociedad mundial.

El agua es nuestro patrimonio. Nos corresponde proteger y utilizar racionalmente esta riqueza.

El agua como fuente de vida, cultura y progreso en este mural realizado por Diego Rivera en el cárcamo de Chapultepec, construido en 1955 en la Ciudad de México

La justicia y la igualdad se construyen en las relaciones entre las naciones, y también en el trato diario que se dan los individuos. Así es que tú, en tus relaciones cotidianas, puedes estar abonando la justicia y la paz, o la desigualdad y la injusticia.

Si con alguno de tus actos causas que los derechos de otros se obstaculicen o se anulen, estás causando injusticia. Una manera en que las personas y las sociedades causamos injusticia, a veces inadvertidamente, es mediante la discriminación.

Discriminar es distinguir. Contemporáneamente, se entiende por discriminación distinguir, excluir o restringir a las personas en sus derechos, utilizando como base de esa acción su origen social o nacional, la lengua que habla, su religión, la edad que tiene, alguna discapacidad que presente, su apariencia, su identidad de género u orientación sexual; en fin, cualquier rasgo que la identifique. Recuerda que los rasgos de las personas las individualizan y distinguen, pero que no las hacen tener menos derechos que los que goza la totalidad de la sociedad.

En nuestro país hubo, como sabes, pobladores originarios y otros que llegaron de Europa. Después de una guerra, los europeos quedaron al mando del territorio. Ahí se originó un proceso de discriminación e injusticia hacia los pueblos origina-

Laguna de Cuatro Ciénegas, ubicada en el desierto de Coahuila rios del territorio. Todavía hay fuertes resabios de esa discriminación y desprecio por esas culturas, que son el origen de la cultura nacional. Asimismo, la desigualdad afecta de manera desproporcionada a la población indígena.

En algunos países, todavía se discrimina por ley a ciertos grupos sociales. En la mayoría, sin embargo, incluyendo el nuestro, se han promulgado leyes por la igualdad de derechos y oportunidades, y contra la discriminación. Sin embargo, la discriminación persiste y es necesario que la sociedad haga conciencia sobre sus efectos perjudiciales, y que luche activamente contra la discriminación y por garantizar iguales derechos a todas las personas.

¿Cómo se da y qué efectos tiene la discriminación? Y más importante todavía, ¿cómo prevenirla? Frecuentemente la discriminación va junto con prejuicios, con desigualdad y con falta de oportunidades.

Los prejuicios son ideas que adoptamos sin analizarlas. En general simplifican demasiado nuestra apreciación de la gente y los pueblos, a quienes definimos en nuestra mente tomando sólo una o dos de sus características, y olvidando que son iguales a todos en sus derechos.

Algunas ciudades de nuestro país han crecido tanto que deben recibir agua de lugares lejanos. La disponible localmente no es suficiente.

La necesidad de transportar el agua de un lugar a otro es antigua y se resuelve mediante obras de ingeniería y construcción notables, como este acueducto de piedra que data de la época de la Colonia.

Los prejuicios, entonces, se basan en estereotipos. Los medios de comunicación proponen frecuentemente estereotipos como forma de entretenimiento, por lo que es conveniente que distingas qué es información amplia y fundamentada de lo que son estereotipos y prejuicios. Nunca te sumes a generalizaciones o simplificaciones que menoscaben la dignidad de las personas y los pueblos. Analiza tu experiencia, e infórmate con mente y espíritu abiertos cuando intentes emitir un juicio sobre las cualidades o características de la gente que te rodea.

Debemos evitar la discriminación porque va en contra de los derechos de las personas y los pueblos, y por lo tanto, de la justicia. ¿Cómo hacerlo? Es necesario estar alerta contra prejuicios y estereotipos que son el sustento de actitudes y actos de intolerancia y rechazo.

La discriminación se da también por desconocimiento y desconfianza, pero siempre se trata de un abuso que es necesario evitar y, en su caso, denunciar. Los movimientos migratorios han causado el contacto cercano de pueblos que antes no convivían y, desafortunadamente, esto ha causado actos de discriminación. Muchos compatriotas

La presa hidroeléctrica Chicoasén, sobre el río Grijalva en el estado de Chiapas, es una de las más grandes del mundo tanto por su altura como por su capacidad de generación de energía. Fue diseñada y construida por ingenieros y trabajadores mexicanos.

Platiquemos

en el extranjero sufren de incomprensión y restricción de sus derechos. También se ha dado con frecuencia maltrato a los inmigrantes en nuestro país. Toda esta discriminación debe terminarse.

La discriminación es una forma de trato injusto. Otras formas de maltrato son los insultos y los golpes. También ignorar a una persona, desatender su singularidad y sus derechos, menospreciar el trabajo que realiza o el empeño que pone en la realización de sus tareas son conductas que deben evitarse porque lesionan la dignidad de las personas.

No es difícil, y es muy enriquecedor, dar trato justo, solidario y cordial a las personas con quienes convives. Pequeños actos como el saludo diario, el reconocimiento de la labor que cada uno desempeña, la atención a los rasgos individuales de las personas que tratas las harán sentirse apreciadas y contentas. Todos podemos hacer mejor la vida propia y la de los demás impulsando el buen trato.

En la mayoría de los países del mundo se ha buscado la justicia social mediante la forma de gobierno que procura el constante mejoramiento social, económico y cultural

Éste es el aspecto de los acueductos modernos que transportan agua hacia las grandes ciudades, la cual se bombea a través de tuberías de acero o concreto.

Toda el agua que tiene como destino final el consumo humano, por ley, antes debe ser purificada o potabilizada. Así evitamos enfermedades.

que conocemos como democracia. Es esencia de la democracia considerar la igualdad de dignidad y derechos de todas las personas. Por ello, está obligada a reconocer, valorar y defender la diversidad de maneras de vida que pueden darse en ella, y a reconocer la pluralidad, siempre en el marco del apego a la legalidad y a los valores de la democracia. Medita acerca de la manera en que puedes hacer más democráticos tus actos cotidianos. Construir sociedades cada vez más democráticas es un desafío mundial, y tú puedes contribuir al avance de esa construcción.

Otros desafíos que encara el mundo son el cuidado del ambiente y el cuidado de recursos naturales vitales como el agua. Este desafío requiere tanto de esfuerzos entre todos los países como al interior de cada uno. Se necesitan leyes y acuerdos, pero también prácticas cotidianas, para cuidar los recursos y el ambiente. Recuerda que entre los derechos de todas las personas está el derecho a la salud y a un ambiente saludable. Esto te obliga a cuidar el ambiente por el bien de todos.

Las presas son grandes diques o estructuras de tierra o de concreto. Sirven para almacenar el agua de un río para regar cultivos, producir energía, evitar inundaciones y aprovechar, en los años secos, el agua que almacenamos en los años lluviosos.

http://para_aprender_mas

Para aprender más

El agua

Desde su origen, los seres humanos han reconocido el valor del agua, por ser ésta la sustancia más importante de la Tierra: sin ella, la vida no hubiera existido. No hay ningún ejemplo de sistema vivo que no contenga una proporción importante de agua; el mismo organismo humano está formado por 70% de ella. Como sustancia química funciona como solvente, es inodora, incolora y sin sabor. Por congelación se convierte en un sólido y aumenta de volumen en vez de contraerse, como ocurre con casi todas las demás sustancias. Además, tiene una propiedad muy peculiar, llamada capilaridad, sin la cual la savia que nutre a las plantas y árboles se quedaría en el suelo, y la sangre del ser humano, formada principalmente por agua, jamás completaría su ciclo circulatorio. Aunque el agua ocupa casi las dos terceras partes de la superficie de la Tierra, el 97% es salada y se encuentra en los océanos, mientras que el agua dulce representa la pequeña cantidad de 3%, distribuida entre los glaciares y casquetes polares (2.4%) y los ríos y lagos (solamente 0.6%).

La Asamblea General de las Naciones Unidas adoptó en 1992 la resolución por la que el 22 de marzo de cada año fuera declarado Día Mundial del Agua, cuya celebración en los Estados miembros incluye actividades como el fomento de la conciencia pública a través de la producción y difusión de documentales y la organización de conferencias, seminarios y exposiciones relacionados con la conservación del agua.

José R. Ortega
Laboratorio de Geofísica,
Instituto Nacional de Antropología e Historia

Un desafío de las sociedades actuales: las fuentes de energía

En nuestro territorio continental marítimo, existen en el subsuelo, a profundidades de varios kilómetros, yacimientos de petróleo.

Estos yacimientos se descubrieron y empezaron a explotarse a finales del siglo XIX. Desde entonces, en otras partes del mundo ya existía una gran industria alrededor de la extracción y procesamiento del petróleo; en México estas actividades eran realizadas por empresas extranjeras, pues aquí no se había acumulado aún la experiencia necesaria para desarrollarla.

Sin embargo, en 1938, el presidente Lázaro Cárdenas decidió nacionalizar la industria del petróleo, al negarse las empresas extranjeras a mejorar el salario y las condiciones de trabajo de los obreros. Nació entonces Petróleos Mexicanos (Pemex), que después de años difíciles logró dominar la técnica de la extracción y la refinación del petróleo, y que al día de hoy mantiene la responsabilidad de abastecer de combustibles y otros derivados del petróleo a nuestro país.

Aplicando lo establecido en el artículo 27 de la Constitución Política de los Estados Unidos Mexicanos promulgada en 1917, el petróleo y sus derivados son recursos necesarios para el desarrollo de un país.

Actividades como el transporte, la producción de electricidad o la industria no podrían desarrollarse sin el petróleo.

El petróleo es patrimonio de los mexicanos, y nuestro futuro como país independiente depende de conservarlo y explotarlo racionalmente como fuente de empleo, del crecimiento de la industria, del desarrollo de tecnología y de la alianza con países que carecen de él.

Existe un gran futuro en la explotación de yacimientos terrestres y marinos de gas y petróleo, en la refinación de petróleo para producir gasolinas, así como en el procesamiento del gas para producir plásticos, que hoy son fuente de una gran industria. Debemos cuidarlo porque no es renovable.

Para aprender más

La vida en nuestro planeta corre graves riesgos: Octavio Paz

El escritor mexicano Octavio Paz recibió el Premio Nobel de Literatura en 1990.

Nació en la Ciudad de México el 31 de marzo de 1914. Fue uno de los más grandes escritores del siglo XX; renovador de la poesía, prosista excepcional y estudioso de la sociedad contemporánea. Es uno de los mayores pensadores en nuestra lengua. Fue un polemista claro y contundente que influyó en la literatura de todo el mundo al renovar los géneros que abordó. Escribió una gran cantidad de obras y fue miembro de El Colegio Nacional.

Octavio Paz falleció en la Ciudad de México el 19 de abril de 1998.

A continuación, un fragmento del discurso que dio al aceptar el Premio Nobel:

El siglo se cierra con muchas interrogaciones. Algo sabemos, sin embargo: la vida en nuestro planeta corre graves riesgos. Nuestro irreflexivo culto al progreso y los avances mismos de nuestra lucha por dominar a la naturaleza se han convertido en una carrera suicida. En el momento en que comenzamos a descifrar los secretos de las galaxias y de las partículas atómicas, los enigmas de la biología molecular y los del origen de la vida, hemos herido en su centro a la naturaleza. Por esto, cualesquiera que sean las formas de organización política y social que adopten las naciones, la cuestión más inmediata y apremiante es la supervivencia del medio natural. Defender a la naturaleza es defender a los hombres. Al finalizar el siglo hemos descubierto que somos parte de un inmenso sistema —conjunto de sistemas— que va de las plantas y los animales a las células, las moléculas, los átomos y las estrellas. Somos un eslabón de "la cadena del ser", como llamaban los antiguos filósofos al universo. Uno de los gestos más antiguos del hombre, un gesto que, desde el comienzo, repetimos diariamente, es alzar la cabeza y contemplar, con asombro, el cielo estrellado. Casi siempre esa contemplación termina con un sentimiento de fraternidad con el universo.

A la entrada del edificio de la Secretaría de Educación Pública se encuentra colocada una placa con versos de Octavio Paz, para rendirle homenaje.

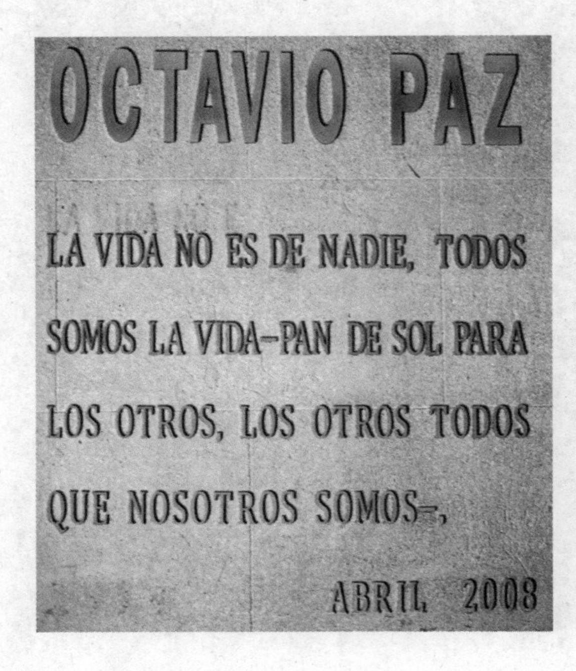

La ciencia y el desarrollo

Es verdad que de niños todos éramos curiosos y arriesgados en nuestra relación con el mundo natural. Nos gustaba tocar todo tipo de objetos y sustancias; sentirlos, mezclarlos, inventar aparatos y máquinas que nunca antes se habían visto y aprender cómo vive y crece todo tipo de plantas y animales. Siendo niños, nos preguntábamos constantemente por qué las cosas son como son, y no descansábamos hasta encontrar una explicación sencilla y satisfactoria. ¡La ciencia es muy divertida!

Hoy los niños manejan con una facilidad sorprendente los aparatos electrónicos más complicados. Esta capacidad de adaptarse a lo nuevo, de asombrarse, experimentar y trabajar en equipo para crear una realidad maravillosa en sus juegos es fundamental en nuestra sociedad. Es así como logramos desarrollar la ciencia y el conocimiento. Por eso es necesario que todos los niños aprendan y gocen de la ciencia en la escuela. Es a través de la ciencia, y finalmente de la tecnología, como podemos comprender y transformar el planeta.

Las sociedades que cultivan las ciencias han logrado convivir de modo inteligente con el resto del mundo y la naturaleza para generar riqueza y bienestar.

La invención es el motor del desarrollo económico, y nuestro país necesita de ella para generar empleos y mejorar la calidad de vida de todos los mexicanos. México requiere de más científicos e ingenieros para desarrollar y aplicar nuevas tecnologías, no sólo en universidades sino también en empresas, en el gobierno y en organizaciones civiles.

En los últimos años he tenido la oportunidad de platicar con muchos niños y niñas de escuelas mexicanas, y he constatado su enorme interés por los problemas de su comunidad y del mundo, como son la contaminación o el cambio climático. Su deseo de comprenderlos y contribuir a su solución es la semilla de una sociedad más responsable con el medio ambiente y con mayor capacidad para contribuir al bienestar de la humanidad.

Al acercarnos a la ciencia se nos abre la oportunidad de conocer más del mundo que nos rodea. Todo es cuestión de estar abiertos a ideas nuevas y de trabajar unidos en la búsqueda de soluciones a los problemas que enfrentamos en nuestro país y en nuestro planeta.

Mario J. Molina, Premio Nobel de Química
El Colegio Nacional

Para aprender más

Genaro Estrada Félix

Desde el inicio de nuestra historia como nación independiente, México enfrentó muchos conflictos que pusieron en riesgo nuestra soberanía e independencia debido a la intervención de países con gran poder económico y militar que buscaban obtener ventaja de las condiciones de inestabilidad que existían en el nuestro.

Esta injerencia extranjera adoptó muy diferentes expresiones. Durante la época de la Revolución Mexicana, por ejemplo, Estados Unidos otorgaba o quitaba su reconocimiento a los gobiernos revolucionarios para influir posteriormente en las decisiones que tomaran. Los problemas que generó esta práctica, y que significaron todo tipo de presiones e incluso amenazas, impulsaron a que posteriormente el secretario de Relaciones Exteriores Genaro Estrada, ilustre escritor, político y diplomático mexicano, señalara en 1931 que el Gobierno de México evitaría otorgar su reconocimiento a otros gobiernos por respeto a la libre autodeterminación de los pueblos y al principio de no intervención.

El sentido de este pronunciamiento se conoce hoy en día como la Doctrina Estrada, uno de los pilares de la política exterior de México y una muy importante contribución al Derecho Internacional Público.

Genaro Estrada nació en Mazatlán, Sinaloa, en 1887. Fue periodista y profesor de la Facultad de Filosofía y Letras de la entonces Universidad Nacional, y delegado ante la Sociedad de las Naciones, la organización que antecedió a la Organización de las Naciones Unidas.

Óscar Solís Flores

Alfonso García Robles

México ha tenido un papel muy importante como promotor de la paz en el mundo y ha trabajado siempre por crear condiciones que permitan la convivencia armónica entre los pueblos.

En un ambiente internacional caracterizado por el enfrentamiento entre los dos países que en esa época disputaban la supremacía económica, política y militar (Estados Unidos y la Unión Soviética), Alfonso García Robles logró, gracias a una intensa labor diplomática, que la mayoría de los gobiernos de nuestro continente se comprometiera a no fabricar, almacenar o probar armas nucleares. Este compromiso quedó asentado en un documento conocido como Tratado de Tlatelolco (1967).

En una etapa de la historia en la cual todos los países buscaban tener más y mejor armamento, Alfonso García Robles proponía que las naciones dialogaran para avanzar hacia el desarme y la paz. Así lo planteó durante su participación en la Organización de las Naciones Unidas (1971-1975) y en la Comisión de Desarme de la misma organización (1977-1980).

Alfonso García Robles nació en Zamora, Michoacán, en 1911. Estudió Derecho en la Universidad Nacional Autónoma de México, e ingresó al Servicio Exterior Mexicano en 1939. Fue secretario de Relaciones Exteriores (1975-1976) y miembro de El Colegio Nacional. Por su incansable labor en favor de la paz, recibió el Premio Nobel de la Paz en 1982. Fue el primer mexicano que obtuvo ese importante reconocimiento.

Óscar Solís Flores

Para aprender más

Jaime Torres Bodet

El libro de texto gratuito, como el que ahora tienes en tus manos, fue uno de los muchos proyectos de Jaime Torres Bodet como secretario de Educación Pública (1943-1946 y 1958-1964). Su labor en este cargo se tradujo no sólo en iniciativas muy importantes, como la campaña nacional contra el analfabetismo o el programa para la construcción de escuelas, entre las cuales están la Escuela Normal para Maestros, la Normal Superior y el Conservatorio Nacional, sino también en la consolidación o creación de varios museos: el de Historia de Chapultepec, el Nacional de Antropología y el de Arte Moderno. Una de sus contribuciones más significativas fue coordinar la redacción del nuevo texto del artículo 3 constitucional (1944), que se refiere precisamente al derecho a la educación.

Las ideas de este ilustre pensador, nacido en la capital del país en 1902, llegaron más allá del ámbito nacional e influyeron en el pensamiento de su época. Precursor, fundador y defensor de la educación en derechos humanos, Torres Bodet abogó siempre por la libertad y por el derecho a la educación y la cultura. En la *Declaración Universal de los Derechos Humanos* de la Organización de las Naciones Unidas (1948), la cual él ayudó a redactar, recogió estos principios de humanismo, justicia e igualdad.

En la Facultad de Altos Estudios de la Universidad Nacional de México, afirmó su vocación como poeta, escritor y ensayista. Publicó su primer libro a los 16 años. Fue miembro de El Colegio Nacional.

Óscar Solís Flores

Civilización

Un hombre muere en mí siempre que un hombre
muere en cualquier lugar, asesinado
por el miedo y la prisa de otros hombres.

Un hombre como yo: durante meses
en las entrañas de una madre oculto;
nacido, como yo,
entre esperanzas y entre lágrimas,
y —como yo— feliz de haber sufrido,
triste de haber gozado,
hecho de sangre y sal y tiempo y sueño.

Un hombre que anheló ser más que un hombre
y que, de pronto, un día comprendió
el valor que tendría la existencia
si todos cuantos viven
fuesen, en realidad, hombres enhiestos,
capaces de legar sin amargura
lo que todos dejamos
a los próximos hombres:
el amor, las mujeres, los crepúsculos,
la luna, el mar, el sol, las sementeras,
el frío de la piña rebanada
sobre el plato de laca de un otoño,
el alba de unos ojos,
el litoral de una sonrisa
y, en todo lo que viene y lo que pasa,
el ansia de encontrar
la dimensión de una verdad completa.

Un hombre muere en mí siempre que en Asia,
o en la margen de un río
de África o de América,
o en el jardín de una ciudad de Europa,
una bala de hombre mata a un hombre.

Y su muerte deshace
todo lo que pensé haber levantado
en mí sobre sillares permanentes:
la confianza en mis héroes,
mi afición a callar bajo los pinos,
el orgullo que tuve de ser hombre
al oír —en Platón— morir a Sócrates,
y hasta el sabor del agua, y hasta el claro
júbilo de saber
que dos y dos son cuatro.

Porque de nuevo todo es puesto en duda,
todo
se interroga de nuevo
y deja mil preguntas sin respuesta
en la hora en que el hombre
penetra —a mano armada—
en la vida indefensa de otros hombres.

Súbitamente arteras,
las raíces del ser nos estrangulan.

Y nada está seguro de sí mismo
—ni en la semilla el germen,
ni en la aurora la alondra,
ni en la roca el diamante,
ni en la compacta oscuridad la estrella—,
¡cuando hay hombres que amasan
el pan de su victoria
con el polvo sangriento de otros hombres!

Jaime Torres Bodet

http://para_aprender_mas

Para aprender más

Emigración mexicana

Hoy uno de cada nueve mexicanos vive en Estados Unidos, y poco más de dos millones de hogares en México están directamente relacionados con la emigración, en el sentido de que algún residente habitual, o familiar directo suyo, vive en Estados Unidos. En el país vecino, la comunidad de mexicanos asciende a cerca de 26 millones de personas, de los cuales 12 millones nacieron en México y el resto entra en los denominados "de origen mexicano", es decir, nacidos en Estados Unidos, pero de ascendencia mexicana. Éste es un proceso de carácter regional, tanto en la salida (centro-norte-occidente de México), como en la llegada (California, Texas, Illinois y recientemente destinos más "urbanos", como Nevada o Nueva York).

Progresivamente, México, de ser un país casi exclusivamente de salida de emigrantes, se ha convertido en un país en que también ocurren la llegada y el tránsito de personas de otros países, esencialmente de Latinoamérica. Esta transformación se explica por la condición de vecino de Estados Unidos y por las dificultades crecientes para ingresar allí.

Jorge Santibáñez
El Colegio de la Frontera Norte

Emigración interna. Derechos de jornaleras y jornaleros agrícolas

Las jornaleras y los jornaleros agrícolas tenemos derecho a:

- Trabajo y trato dignos.
- Jornadas de trabajo de 8 horas como máximo.
- Un día de descanso a la semana, con goce de salario íntegro.
- Salario completo y únicamente con dinero en efectivo.
- Tener habitaciones y sanitarios adecuados, cómodos e higiénicos.
- Recibir servicios de salud y seguridad social.
- Educación, recreación y esparcimiento.

Los derechos de las niñas y los niños jornaleros son:

- Jornadas de trabajo de 6 horas como máximo si tenemos más de 14 y menos de 16 años.
- Desarrollarnos con salud, respeto y bienestar.
- Recibir educación básica, salud y seguridad social gratuitas.
- Recibir amor, cuidado, alimento y un nombre propio.
- Jugar y crecer sanos.
- No sufrir ningún tipo de discriminación.

Las jornaleras agrícolas tenemos derecho a:

- Salario igual al que reciben los hombres por realizar el mismo trabajo.
- Disponer de dos descansos por día, de media hora cada uno, para amamantar a nuestros hijos o hijas.
- Seguro social y guarderías para nuestros hijos.
- Servicios de salud sexual y reproductiva.
- Medidas de seguridad en los traslados, almacenamiento y manejo de pesticidas y otras sustancias químicas.
- No realizar trabajos que exijan esfuerzo físico importante o que pongan en peligro nuestra salud cuando estamos embarazadas.
- Gozar de un periodo de incapacidad por maternidad, recibir nuestro salario íntegro y conservar nuestro empleo.
- Vivir la vida sin violencia.

Secretaría de Desarrollo Social
Instituto Nacional de las Mujeres

Para Jaime Hipólito:

¿Cómo trabaja aquí la gente en la cosecha del café? La gente almuerza a las 5:30 am; comen a las 12 y cenan a las 5 y media.

Yo vengo de Agua Blanca, Morelos, y salgo a trabajar en la cosecha de café, que dura desde octubre hasta marzo. Se ganan 80 centavos por cada kilo de café. Los hombres cortan de 90 a 100 kilos de café, las mujeres de 70 a 80 kilos, y los niños 20. Los cortadores se duermen a las 9 de la noche. Yo estudio en la noche de las 8 a las 9 y media.

Las mujeres lavan su ropa en el río y los hombres en la presa y los que administran la finca se bañan en regaderas. Hay 5 tazas de baño para las damas y 6 para caballeros, pero no todos las utilizan. Cada dormitorio tiene 100 literas de cemento. Vienen cada año 200 personas, más aparte los niños, que somos como 80.

En la cocina hay 3 cocineras, una de ellas es mi mamá. Se llama Lucrecia, es la encargada de la cocina. Su pago es de 525 pesos a la quincena. Las otras 2 compañeras de mi mamá son Brenda y Blandina Espinosa. Estamos en La Unión, Cuautla, Morelos. Lo que cocinan, es decir lo que comemos, es huevo, frijoles, arroz, papas y sopa. Pero casi todos los días comemos frijoles. Lo que casi no comemos es carne.

Atentamente
Eliseo Flores Estefes
10 años
Finca El Dorado, Zihuateutla, Puebla

Fragmento de la carta de un niño emigrante a otro, publicada por el Consejo Nacional de Fomento Educativo

Para hacer

Murales y periódicos murales del Centro Escolar Revolución, Ciudad de México

Periódico mural

En México se han usado los muros para instruir y deleitar desde hace muchísimos años, siglos, en realidad. Por ejemplo, en Bonampak, Cacaxtla y Teotihuacan tenemos algunos de los murales más bellos y extensos del mundo, y gente de otros países hace viajes especiales al nuestro para conocerlos.

El periódico mural es una técnica que se utiliza en las escuelas, también desde hace muchos años. Generalmente se sitúa en algún pizarrón a la entrada de la escuela, y presenta un tema para que la comunidad escolar reflexione. Éste es decidido por los profesores o por los alumnos, y le toca a un determinado grado escolar elaborarlo. En el periódico mural se colocan las aportaciones que hacen los alumnos, las cuales pueden ser dibujos, caricaturas, textos, ilustraciones o fotos.

Se utiliza de manera importante el lenguaje visual. Con ilustraciones se pueden comunicar emociones, ideas, actitudes y valores, y si son interesantes, la gente se detendrá a mirar con atención el contenido del mural.

El periódico mural es un vehículo de expresión y comunicación con tus maestros y compañeros, con tus padres y con personas que visitan tu escuela. Aprovéchalo.

Decidir

Aprender a decidir es uno de los procesos más relevantes de la formación humana. Al decidir, los seres humanos ejercemos nuestra libertad. En todos los periodos de la vida, desde la infancia hasta la edad adulta, es necesario elegir entre diversas alternativas que se nos presenten o que podamos propiciar.

Por ejemplo, a tu edad puedes escoger entre diversas maneras de cuidar tu salud. Puedes elegir no adquirir adicciones, y puedes buscar formas de recreación sana que te alejen de estilos de vida dañinos.

La escuela es, junto con el hogar, un espacio natural para que aprendas a decidir, pues ahí convives con personas que influyen en tu manera de ser y de actuar, y te orientan para que tomes decisiones porque decidir no es sólo pensar, sino pensar a la luz de valores y actuar en concordancia con ellos.

Al decidir, eliges qué hacer en circunstancias que pueden ser muy diversas. Algunas decisiones pueden ser sencillas o sin gran trascendencia, como seleccionar la ropa que usarás para ir a una fiesta. Otras pueden tener consecuencias de mayor peso para ti y para otros, como podría ser escoger entre ir al parque o visitar a un pariente enfermo. Otras decisiones pueden tener mayor impacto en tu vida, por ejemplo, aceptar o no la amistad de alguien simpático pero que no es sincero; elegir entre hacer deporte o ver toda la tarde la televisión; o bien, decidir cuidar tu alimentación aunque te gusten las frituras y los dulces.

Para decidir acerca de un asunto importante en el que dudes qué hacer, considera primero todas las posibles alternativas, haz una lista de ellas y escribe las consecuencias positivas o negativas de cada una. Reflexiona acerca de cuál es la mejor decisión. Puedes consultar a personas de tu confianza.

Una vez que has elegido algo, te obligas a realizarlo. Cuando decides hacer algo adquieres una responsabilidad ante ti mismo o ante los demás. Por eso necesitarás un plan de acción para llevar a cabo los propósitos que asumiste por tu propia voluntad después de reflexionar cuidadosamente.

Recuerda que cuando decides:

- eliges entre varias alternativas;
- adquieres una obligación que debes esforzarte por cumplir para ser coherente con tus metas y valores.

Entre los valores más importantes que has de considerar están la honestidad, la responsabilidad, el respeto, la seguridad, la lealtad, la justicia y el bien individual como el colectivo.

Ejercicios

Reconozco la diversidad de mi entidad federativa

Investiga y anota si en tu entidad federativa hay personas que sean diferentes a ti en:

- Lengua o idioma
- Costumbres y tradiciones
- Cultura
- Gustos por la comida
- Entidad de procedencia
- Religión

A partir de la información que recabaste, contesta las siguientes preguntas.

a) ¿Crees que se pudiera originar algún conflicto en la convivencia cotidiana a causa de las diferencias?

Sí ____ ¿Cuáles? ______________________________

No ____ ¿Por qué? ______________________________

b) ¿Por qué es importante respetar las diferencias culturales?

____

____

c) ¿Cómo fortalecen o afectan las tradiciones y las costumbres a las personas?

____

____

Indaga, narra e ilustra alguna de las tradiciones más sobresalientes de tu entidad federativa o región.

Ejercicios

Compara la información que recabaste con la de tus compañeros, y comenten cómo estos grupos han beneficiado la vida cultural de nuestro país. Escribe tu conclusión:

Reflexiona acerca de la importancia de que todas las personas tengan las mismas oportunidades de desarrollo, y anota tus conclusiones:

Completa el texto siguiente:

Para promover el respeto a los diversos grupos de población de mi entidad federativa, mi país y el mundo, yo...

Hacer ciencia

Así como hay diferentes costumbres, tradiciones, culturas, idiomas, formas de ser, de pensar, de vestir, también hay diversidad de oficios y profesiones que contribuyen al desarrollo del país.

Lee el texto "La ciencia y el desarrollo" en la página 63.
Anota tres de las ideas más importantes que expresa Mario Molina en este texto:

____

____

____

Si tú fueras científico, ¿qué te gustaría investigar?, ¿qué buscarías o inventarías para ayudar al desarrollo de tu sociedad? y ¿qué harías para proteger el ambiente?
Representa con un dibujo o con recortes cómo se vería tu ambiente con la aplicación de ese invento.

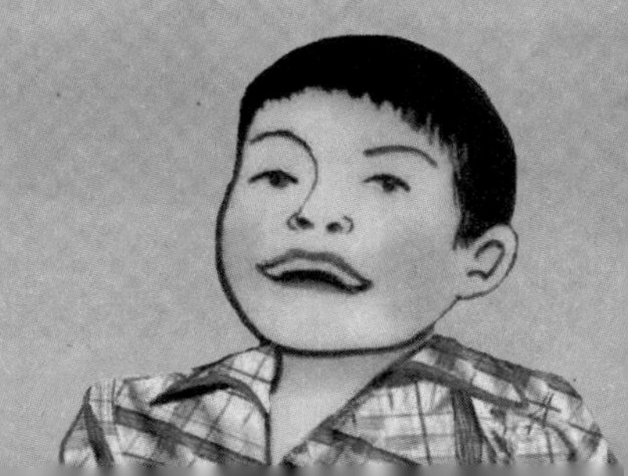

Ejercicios

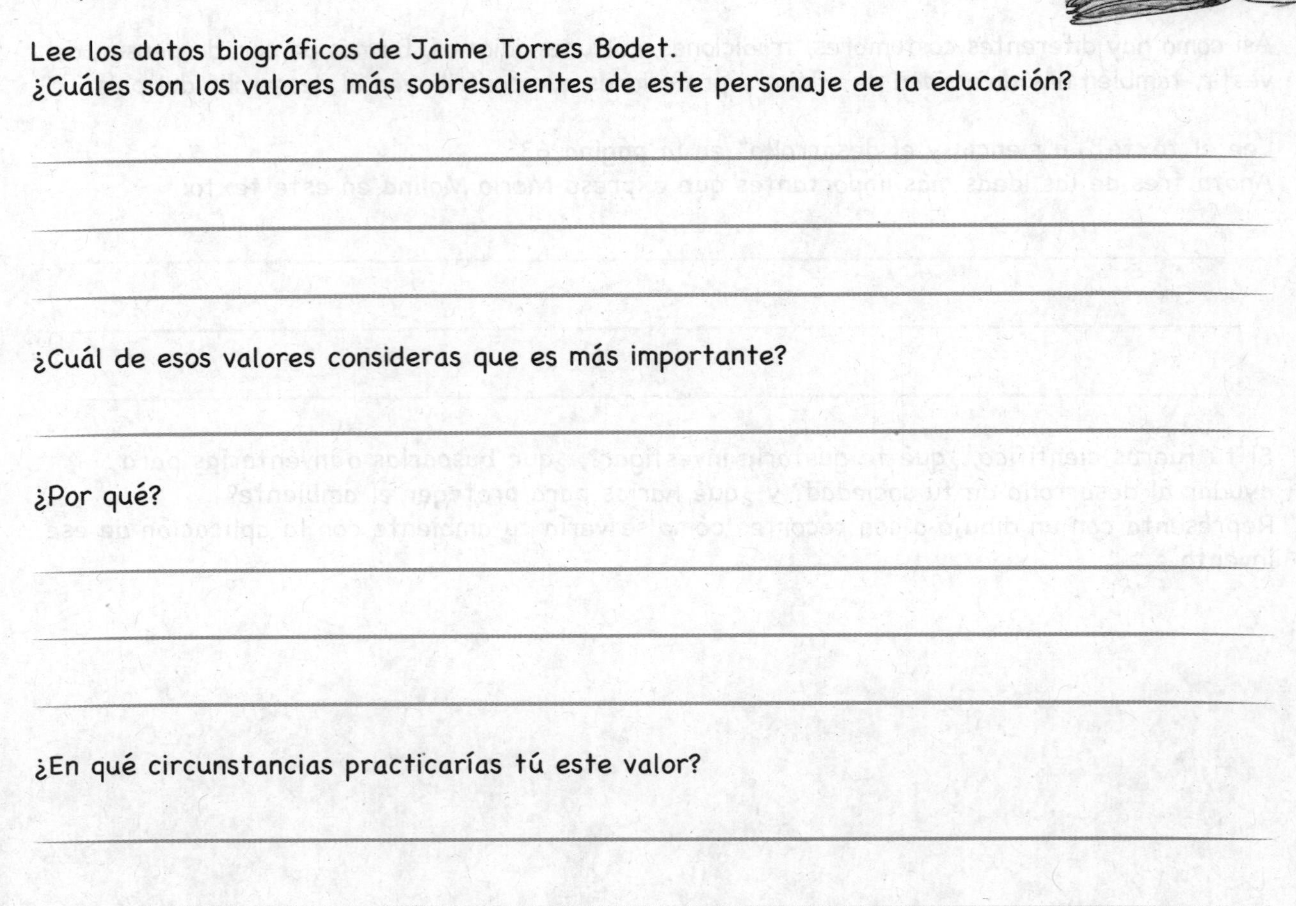

Un personaje ilustre

Lee los datos biográficos de Jaime Torres Bodet.
¿Cuáles son los valores más sobresalientes de este personaje de la educación?

¿Cuál de esos valores consideras que es más importante?

¿Por qué?

¿En qué circunstancias practicarías tú este valor?

Investiga sobre la vida de algún personaje sobresaliente de tu entidad federativa. Anota lo que te haya parecido más importante.

¿Qué valores para la convivencia democrática tienen en común este personaje y Jaime Torres Bodet?

http://ejercicios

Ejercicios

En el teatro

Organicen una representación teatral de un pasaje de la vida de Torres Bodet o de algún personaje importante para la educación de tu entidad federativa.

Quienes participaron comenten cómo se sintieron al interpretar a los personajes. Los espectadores comenten cómo se comportaban los personajes representados y las emociones que les proyectaron.

¿Qué aspecto de la vida de ese personaje te gustó más? ¿Por qué?

____

____

http://autoevaluación

Autoevaluación

¿Cómo voy?

Escoge la respuesta que mejor describe tu desempeño y colorea la figura.

Siempre **Casi siempre** **Casi nunca** **Nunca**

En la escuela, con mis maestros y mis compañeros

Muestro conductas pacíficas en la escuela y en mi grupo.

S **CS** **CN** **N**

Expreso mi desacuerdo ante alguna violación de los derechos humanos.

S **CS** **CN** **N**

Me involucro en proyectos que benefician la conservación de los recursos de mi entorno.

S **CS** **CN** **N**

Respeto las diversas formas de pensar, sentir y expresar la cultura en la escuela.

S **CS** **CN** **N**

Brindo trato justo y solidario a mis compañeras y compañeros.

S **CS** **CN** **N**

En mi casa, en la calle y otros lugares

Evito el uso de expresiones que hieren la dignidad de las personas con las que convivo cotidianamente.

S **CS** **CN** **N**

Conozco manifestaciones culturales de grupos y sociedades de diversas partes del mundo.

S **CS** **CN** **N**

Colaboro en iniciativas colectivas para evitar el desperdicio de recursos naturales en mi localidad.

S **CS** **CN** **N**

Evito juzgar a las personas con prejuicios o estereotipos.

S **CS** **CN** **N**

Rechazo la discriminación y el racismo.

S **CS** **CN** **N**

¿En qué puedo mejorar?

____

____

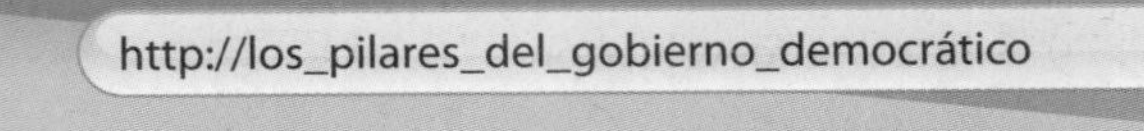
http://los_pilares_del_gobierno_democrático

DE LOS
ESTADOS
UNIDOS
MEXICANOS
que ella misma establece.
Está prohibida la esclavitud en los Estados Unidos

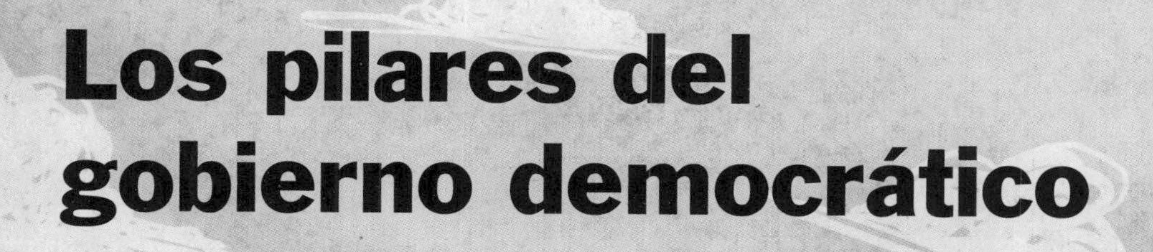

Los pilares del gobierno democrático

Con el aprendizaje y la práctica podrás:

- Saber que la democracia promueve y defiende los derechos humanos.
- Aprender qué son la división de poderes, el federalismo, el sistema electoral, los partidos políticos y los organismos no gubernamentales.
- Conocer algunas formas para intervenir en asuntos públicos.
- Conocer la ley y actuar con justicia.
- Comprender y apreciar la democracia.

http://platiquemos

Platiquemos

La Constitución Política de los Estados Unidos Mexicanos es la norma jurídica fundamental de la vida política y social de México.

La Constitución Política establece que nuestro país es una república democrática, representativa y federal. Cada una de estas características busca asegurar que las decisiones de los gobernantes tomen en cuenta las aspiraciones e ideales de las mexicanas y los mexicanos.

El gobierno es republicano porque los gobernantes se eligen cada cierto tiempo y no hay cargos que se ejerzan de manera vitalicia ni que puedan heredarse, como ocurre en los gobiernos monárquicos, donde los gobernantes dejan de serlo cuando mueren o renuncian a su cargo, y sus familiares más cercanos heredan el gobierno. El gobierno republicano asegura que puedan variar las personas y las ideas políticas, lo cual ayuda a que se incorporen nuevas propuestas.

Nuestra república es democrática porque los ciudadanos se expresan y participan por medio del voto para la elección de sus representantes políticos; además, todo ciudadano que reúna los requisitos señalados por la Constitución Política puede ser votado como diputado federal o local, presidente municipal y otros puestos de elección popular. El poder no lo obtienen los gobernantes por sí mismos, sino que lo reciben de sus gobernados, por lo que las acciones de aquéllos deben orientarse a satisfacer plenamente las necesidades de la población.

Nuestro gobierno es representativo porque los ciudadanos no gobiernan directamente, sino de manera indirecta a través de sus representantes. Mediante el voto (o sufragio) universal, libre, secreto y directo los ciudadanos eligen a los representantes del poder ejecutivo y legislativo, tanto en lo federal como lo estatal y lo municipal.

A lo largo de la historia se han fortalecido las instituciones del gobierno democrático y la división de poderes.

Nuestra república es federal porque se divide en 32 entidades federativas. De ellas, 31 son estados libres y soberanos y una es el Distrito Federal, unidos todos mediante un pacto federal. El pacto federal consiste en la obligación que cada entidad federativa tiene de respetar la Constitución Política de los Estados Unidos Mexicanos, que es para todas las entidades federativas, y de reconocer un gobierno con facultades en todo el territorio: un gobierno federal. A su vez, cada entidad federativa es libre en su orden interior, tiene su propia constitución política estatal y elige su propio gobierno local. El Distrito Federal es especial, pues no tiene constitución política propia, sino un Estatuto de Gobierno que promulga el Congreso de la Unión.

Los estados se dividen en municipios libres; el Distrito Federal, en delegaciones. Los ciudadanos eligen democráticamente, es decir mediante el voto, a sus presidentes municipales o jefes delegacionales.

El gobierno se encarga de tomar decisiones para ordenar la vida social y garantizar el cumplimiento de las normas de la Constitución Política. Para llevar a cabo todas las actividades requeridas, el poder de la Federación se divide en Legislativo, Ejecutivo y Judicial.

Poder Legislativo Federal

Este poder se deposita en el Congreso de la Unión. Entre sus funciones está proponer, discutir y aprobar o rechazar leyes y decretos, así como vigilar que el presidente de la República actúe conforme a las leyes. El Congreso de la Unión se divide en dos grupos llamados "Cámaras": la de Diputados y la de Senadores. La primera se integra por 500 representantes de los ciudadanos de todo el país, elegidos cada tres años; la

Éste es el edificio sede de la Suprema Corte de Justicia de la Nación, el más alto tribunal del país.

Platiquemos

segunda está conformada por 128 representantes, cuatro de cada entidad, elegidos cada seis años.

Las leyes aprobadas por el Congreso de la Unión tienen carácter federal, es decir, son obligatorias en todo el territorio nacional.

Poder Ejecutivo Federal

Este poder está depositado en el presidente de la República, quien es elegido cada seis años y no puede reelegirse. Entre sus facultades están, entre muchas otras, promulgar y ejecutar las leyes y vigilar que se cumplan; nombrar al procurador general de la República y a los secretarios de Estado, como los secretarios de Educación Pública y de Gobernación; además, dirige las relaciones con otros países y celebra con ellos convenios y tratados. El presidente propone al Senado candidatos a ministro

Palacio Nacional

de la Suprema Corte de Justicia de la Nación, y tiene la facultad de designarlos directamente si no hay acuerdo con el Senado.

Poder Judicial Federal

Este poder se deposita en la Suprema Corte de Justicia de la Nación, en un Tribunal Electoral, en Tribunales Colegiados y Unitarios de Circuito y en Juzgados de Distrito. La disciplina y administración de las instituciones mencionadas está a cargo del Consejo de la Judicatura Federal.

La Suprema Corte de Justicia de la Nación, como su nombre lo indica, es la institución encargada de interpretar las leyes y revisar que ninguna de ellas contradiga las normas establecidas en la Constitución.

Los jueces del Poder Judicial Federal se encargan de aplicar sanciones a quienes no cumplen las leyes federales.

Éste es el edificio sede de la Cámara de Senadores.

Platiquemos

La Constitución Política establece que los representantes de los poderes Legislativo y Ejecutivo ocupan el cargo cuando, a través de elecciones libres, auténticas y periódicas, lo decidan los ciudadanos mediante el voto libre y secreto.

Una vez elegidos, los representantes tienen la obligación de cumplir los programas que presentaron a los electores y de rendir cuentas a sus representados sobre las decisiones o acciones que realicen durante su encargo. La participación de los ciudadanos no se termina con la elección de los gobernantes. En la medida que todos los ciudadanos vigilen la actuación de sus representantes y exijan que actúen de manera honrada y responsable, se logrará que éstos trabajen para el beneficio del pueblo.

Para llevar a cabo la elección de sus gobernantes, los ciudadanos se asocian en partidos políticos, cada uno de los cuales posee un programa que incluye su propuesta de gobierno con aspectos económicos, políticos, culturales y, en general, de

El Palacio Legislativo de San Lázaro es sede de la Cámara de Diputados. Ahí se realizan sesiones conjuntas con el Senado, como Congreso de la Unión. El bajo relieve es de José Chávez Morado

todos los ámbitos de la administración del país. Los candidatos de cada partido difunden sus propuestas principalmente a través de los medios de comunicación, y los ciudadanos votan por el que consideran que es mejor.

Otras asociaciones independientes del gobierno y de los partidos políticos son las integradas por la sociedad civil. Entre ellas existen asociaciones sindicales, indígenas y campesinas cuyo propósito es promover, solicitar o exigir la solución de problemas específicos y el acceso a ciertos bienes y servicios que proporcionen a la población condiciones de justicia social a las que todos tenemos derecho. A diferencia de los partidos políticos, las asociaciones de la sociedad civil no se interesan por participar en las elecciones, ya que su objetivo no es llegar a gobernar.

Numerosas asociaciones de la sociedad civil se han orientado a la defensa de los derechos humanos, ya sea para promoverlos o para denunciar incumplimiento o abusos, y defender a las personas cuando las autoridades no respetan sus derechos.

Toda persona tiene el derecho de integrarse a asociaciones que, con apego a las leyes, busquen que la sociedad sea más justa aportando su esfuerzo al mejoramiento de la vida social.

Palacio Legislativo, vista interior

Ésta es la antigua sede de la Cámara de Diputados, edificio hoy ocupado por la Asamblea Legislativa del Distrito Federal.

http://para_aprender_mas

Para aprender más

La sucesión presidencial de 1910

... no hay más remedio que hacer un vigoroso esfuerzo, organizarnos en partidos políticos a fin de que la Nación esté debidamente representada, y luchar en las contiendas electorales a fin de sacar al pueblo de su sopor, fortalecerlo por medio de la lucha, hacerlo concebir un amor más grande a la patria, a medida que sean mayores los bienes que reciba de ella, y mayor la participación que él tenga en la cosa pública, pues a medida que esto aumente, aumentará su preocupación por los grandes problemas nacionales, que sabe será llamado a resolver...

Francisco I. Madero,
La sucesión presidencial de 1910

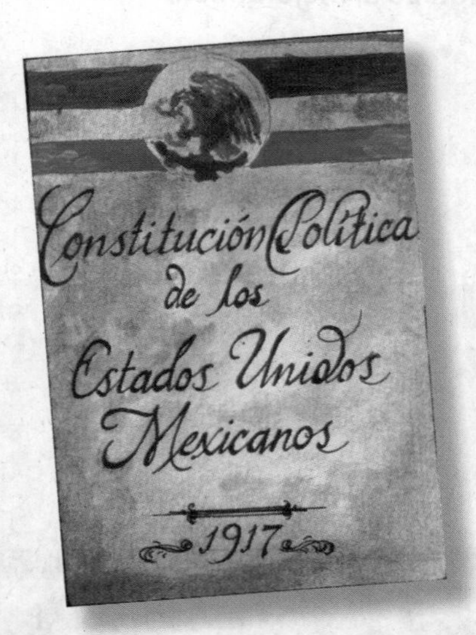

La Constitución de 1917

La Constitución de 1917 se discutió y redactó en la ciudad de Querétaro, a finales de 1916 y principios de 1917, recién terminada la etapa más violenta de la Revolución Mexicana. La Revolución había comenzado en 1910, con el objeto de derrocar al gobierno dictatorial de Porfirio Díaz. Luego continuó en 1913 y 1914, para derrocar al usurpador Victoriano Huerta. Posteriormente, en 1915 tuvo lugar la lucha entre los diferentes ejércitos revolucionarios: los carrancistas y los obregonistas por un lado, y los villistas y los zapatistas por otro. Cada una de estas facciones quería imponer el proyecto que tenía para construir el futuro de México. Los constitucionalistas, o sea, los carrancistas y los obregonistas, fueron los triunfadores en ese conflicto bélico, y por eso pudieron imponer su proyecto al resto del país.

A lo largo de la Revolución se promulgaron muchos planes y proclamas. Unos tenían como objeto resolver los problemas de una clase social, como podrían ser los de los campesinos o los de los obreros. Otros planes y proclamas buscaban luchar contra un determinado político, ya fuera Porfirio Díaz o Victoriano Huerta. La principal característica de la Constitución de 1917 es que enfrentaba los principales problemas de todos los habitantes del país, de sus obreros y campesinos, de las clases medias, de todos los hombres y las mujeres. La Constitución de 1917 fue la única propuesta que enfrentaba todos los problemas del país: los políticos y los económicos, los sociales y los educativos, los internos y los internacionales. La Constitución de 1917 tenía un carácter positivo: más que enfrentar a tal o cual político, buscaba construir el aparato gubernamental que necesitaba el país. Sobre todo, aspiraba a reglamentar la relación entre ese aparato gubernamental y toda la sociedad mexicana. Es el gran pacto que reglamenta las relaciones entre los mexicanos, el gran código que señala nuestros derechos y obligaciones.

Otra característica de la Constitución de 1917, a diferencia del resto de los planes y proclamas del decenio revolucionario, es que no fue hecha por tal o cual caudillo, sino por ciudadanos electos como diputados constituyentes en todos los estados del país. Unos eran militares, otros eran políticos, pero también había profesores, periodistas, médicos, ingenieros y líderes sindicales. Por eso fue la única propuesta política revolucionaria de alcance nacional, en lo geográfico y en lo social.

Javier Garciadiego Dantán
El Colegio de México

Belisario Domínguez

Los mexicanos somos afortunados por tener entre nosotros el ejemplo por antonomasia del heroísmo de la elocuencia honesta. Nos referimos al médico cirujano Belisario Domínguez, quien demostró su valor civil mediante el uso de la palabra.

Publicó artículos contra el presidente Porfirio Díaz y contra el gobernador de su natal estado de Chiapas, invitando a sus paisanos a criticar a los gobernantes cuando obraran mal, y a elogiarlos cuando hicieran bien.

Como senador se opuso al gobierno del usurpador Victoriano Huerta. A éste, además de asesino e ilegítimo, lo llamó débil de carácter, de cerebro desequilibrado, impostor, inepto y malvado carnicero, y lo hizo siendo absolutamente consciente de que sus palabras lo llevarían a la muerte. Aun así, él no vaciló en sacrificar su vida en aras de la patria.

Para que todos los niños mexicanos conozcan algo de lo esencial que animaba la conciencia cívica de Belisario Domínguez, transcribimos aquí un extracto de sus discursos de septiembre de 1913.

Señores senadores: [...] La representación nacional debe deponer de la presidencia de la República a don Victoriano Huerta, por ser él contra quien protestan con mucha razón todos nuestros hermanos alzados en armas [...] Hoy que veis claramente que este hombre es un impostor inepto y malvado, que lleva a la patria con toda velocidad hacia la ruina, ¿dejaréis por temor a la muerte que continúe en el poder? [...] Concededme la honra de ir, comisionado por esta augusta asamblea, a pedir a don Victoriano Huerta que firme su renuncia de presidente de la República [...] Entonces me matará o hará lo que más le cuadre. En ese caso la Representación Nacional sabrá a su vez lo que debe hacer.

Los ejemplos de valor civil expresados mediante el uso de la palabra se multiplican a través de la historia de la humanidad, pero el de don Belisario Domínguez no tiene igual. Por causa de sus palabras lo mataron de un tiro en la nuca y le arrancaron la lengua, como si eso fuera suficiente para hacer callar a los mexicanos. Al contrario, su muerte, como él lo quiso, contribuyó a la caída de Victoriano Huerta.

Así, los mexicanos tenemos el más grande de los ejemplos que ha producido el valor civil, el hacer uso honesto de la palabra para enfrentarse a la autoridad cuando ésta es depravada.

Hoy la libertad de expresión y el derecho a la información están garantizados en el artículo 6 constitucional: "La manifestación de las ideas no será objeto de ninguna inquisición judicial o administrativa, sino en caso de que ataque la moral, los derechos de terceros, provoque algún delito o perturbe el orden público; el derecho a la información será garantizado por el Estado".

Para aprender más

El Poder Judicial de la Federación

Como lo indica la Constitución Política, el máximo poder de la nación se divide en tres órganos con funciones distintas:

- El Poder Legislativo elabora las leyes.
- El Poder Ejecutivo se encarga de aplicar las leyes.
- El Poder Judicial es el encargado de resolver de forma pacífica y mediante sentencias los conflictos que surjan en el país.

Los integrantes del Poder Judicial de la Federación son:

- Los ministros de la Suprema Corte de Justicia de la Nación.
- Los jueces y magistrados federales.
- Los magistrados del Tribunal Electoral.

En el ámbito nacional, son responsables de decidir quién tiene la razón cuando se suscitan problemas entre las personas, entre las autoridades o entre las personas y las autoridades.

Suprema Corte de Justicia de la Nación

Sistema federal y división de poderes

		Poder Legislativo	Poder Ejecutivo	Poder Judicial
SISTEMA FEDERAL	Federación	Congreso de la Unión (Cámara de Diputados y Cámara de Senadores)	Presidente de la República	Poder Judicial de la Federación (Suprema Corte de Justicia de la Nación, Tribunal Electoral, Tribunales de Circuito, Juzgados de Distrito y Consejo de la Judicatura Federal)
	Estados y Distrito Federal	Congreso del Estado (una Cámara de Diputados en cada estado) y Asamblea Legislativa (en el Distrito Federal)	Gobernador (en los estados) y Jefe de Gobierno (en el Distrito Federal)	Poder Judicial del respectivo estado o del Distrito Federal (Tribunal Superior o Supremo Tribunal de Justicia, Juzgados de Primera Instancia y Juzgados Menores, o de Paz o de Cuantía Menor)
	Municipios	Ayuntamiento	Presidente municipal	------------------------------

En el caso del Distrito Federal, su gobierno es ejercido en forma conjunta, tanto por los poderes federales, como por los denominados Órganos Ejecutivo, Legislativo y Judicial de carácter local. En el caso de los municipios, si bien no existen poderes como tales, el presidente municipal ejerce facultades ejecutivas, mientras que el ayuntamiento concentra facultades para aprobar bandos de policía y gobierno, reglamentos, circulares y otras disposiciones administrativas, de acuerdo con lo que dispongan las leyes de cada estado.

El Ejército

El Ejército, la Armada y la Fuerza Aérea existen por mandato constitucional para la defensa de la integridad, la independencia y la soberanía de la nación.

Cuando se hace mención de "Fuerzas Armadas" o "Instituto Armado", se refiere a las tres fuerzas armadas en conjunto, o sea, al Ejército, Armada y Fuerza Aérea; esto es común en la mayoría de los países.

La Constitución Política, en su artículo 89, concede al presidente de la República la facultad de disponer de la totalidad de la Fuerza Armada para garantizar la seguridad interior y defensa de la federación.

Por lo anterior, al presidente de la República se le otorga el reconocimiento de comandante supremo de las Fuerzas Armadas, es decir, es el máximo jefe de éstas.

Las Fuerzas Armadas defienden la soberanía de nuestra nación, desarrollando actividades de vigilancia y patrullaje dentro de nuestro territorio, mares y espacio aéreo, para evitar que personas, embarcaciones y aeronaves de otros países ingresen a México sin permiso de las autoridades correspondientes.

Asimismo, realizan actividades para contribuir al desarrollo del país en beneficio de la sociedad mexicana, tales como:

- Aplicación de los planes DN-III-E y Marina, para auxiliar a la población civil que se ve afectada en sus bienes y en su entorno, por desastres naturales o provocados, tales como huracanes, incendios forestales, movimientos sísmicos, etcétera.
- Llevar a cabo campañas denominadas de labor social, en las cuales se proporciona servicio médico y reparación de aparatos electrodomésticos a poblaciones marginadas o de escasos recursos.
- Apoyo a las autoridades civiles en el combate al narcotráfico.

Secretaría de la Defensa Nacional

Para aprender más

La Marina

La Armada de México históricamente ha estado vinculada con labores de búsqueda, rescate y salvamento de la vida humana en el mar, especialmente en los casos de fenómenos meteorológicos que han sorprendido en alta mar a buques y pescadores ribereños.

En la década de 1940, al incrementarse las actividades marítimo-pesqueras en nuestro país, aumentó el número de casos de accidentes como hundimientos, varaduras y encallamientos, los cuales requirieron la intervención de los mandos navales para el salvamento de la vida humana en el mar.

Lo anterior y el efecto de los fenómenos meteorológicos en la población costera crearon la necesidad de extender las actividades de protección a los habitantes de los puertos y congregaciones de ambos litorales.

Dichas actividades de protección quedaron organizadas a principios de la década de 1950, en lo que desde el inicio recibió el nombre de Plan de Marina.

A raíz de los sismos de septiembre de 1985, se creó el Sistema Nacional de Protección Civil, que invoca la participación de todas las dependencias del gobierno, entre ellas la Secretaría de Marina-Armada de México, con el objetivo fundamental de proteger a las personas y a la sociedad ante la eventualidad de un desastre provocado por agentes naturales o humanos.

Secretaría de Marina-Armada de México

Ciudadanía y nacionalidad

Artículo 34 constitucional. Son ciudadanos de la República los varones y las mujeres que, teniendo la calidad de mexicanos, reúnan, además, los siguientes requisitos:

I. Haber cumplido 18 años.
II. Tener un modo honesto de vivir.

La nacionalidad es un estado que toma su origen del nacimiento en territorio nacional, de la nacionalidad mexicana del padre o de la madre, o de un acto que expresa la voluntad de adquirir la nacionalidad mexicana. También nace del matrimonio con mujer o varón mexicanos.

Los nacionales que hayan llegado a la edad de 18 años son ciudadanos mexicanos, sin distinción de sexo.

Como integrante o miembro de la unidad política llamada "pueblo", que es donde reside esencial y originalmente la soberanía, según lo dispone el artículo 39 de la Constitución Política, el ciudadano debe participar directa o indirectamente en la estructura del poder estatal y en la realización del orden jurídico de la nación. Este dato es lo que distingue al ciudadano del extranjero y de los nacionales menores de dieciocho años, quienes por no ser ciudadanos mexicanos tienen derecho a la protección del ordenamiento jurídico, pero no pueden intervenir en su creación y aplicación.

Para hacer

Periódico escolar

El periódico es desde hace más de dos siglos un importante medio de comunicación. En sus páginas y encabezados se difunden los hechos relevantes que construyen la historia cotidiana de una localidad, un país o el mundo.

A través de las páginas de la prensa periódica se forma la opinión pública, es decir, la opinión que las personas tienen de acontecimientos sociales y políticos tanto cercanos como lejanos; y se reflejan los valores, necesidades e intereses de cada época.

Episodios de la vida nacional tan importantes como la Revolución Mexicana y la expropiación petrolera; fenómenos y desastres naturales que han afectado a la población; los resultados de las elecciones de gobernantes y representantes ante los congresos estatales o federal; la elección de los premios nacionales de ciencias y artes, y muchos otros más, se han comunicado en letra e imagen en notas periodísticas. Los periódicos circulan por el territorio informando al público y ayudando a cada lector a construir su opinión.

El periódico es un medio de comunicación tan importante, que participar en su elaboración será siempre una aventura y una responsabilidad.

Hacer un periódico es una tarea de equipo. En él participan muchas personas. Unos dirigen, otros escriben, algunos hacen el trabajo de diseño, otros más buscan anunciantes o se encargan de distribuirlo y venderlo. Todos son importantes.

Para hacer un periódico es necesario, primero, ponerse de acuerdo, definir qué se quiere decir en él, a quiénes quiere decirse y para qué. Se llama periódico por su periodicidad, es decir, porque sale cada cierto tiempo. Puede ser quincenal, semanal o diario.

Los trabajos que se realizan en un periódico son muy parecidos a los de una editorial: se reciben textos de diferentes autores, se leen, se corrigen y, si es el caso, se ilustran. También se recopilan y redactan noticias, crónicas y entrevistas.

El director, o la directora, decide —con el resto del consejo editorial— la línea del periódico y se ocupa de que los procesos de edición, impresión y distribución lleguen a feliz término.

Hacer un periódico es un trabajo colectivo. Los interesados dependen unos de otros.

¿Te gustaría volverte periodista? Participa en la elaboración de un periódico escolar. Puede ser un gran medio de comunicación entre los integrantes de la comunidad escolar y cumplir una función indispensable para la vida democrática: informar.

Juicio ético

Un juicio ético es el resultado de un razonamiento ético, es decir, un razonamiento cuyo fin es llegar a una conclusión sobre cómo actuar conforme a los valores que uno tiene.

Con frecuencia, en las decisiones se tiene que escoger entre varias acciones, todas las cuales están sostenidas por algún valor.

El razonamiento ético es la capacidad que tenemos las personas para recibir y reconocer circunstancias en las que se ponen en juego valores, ya sea armónicos o en conflicto.

Al expresar un juicio ético sobre algún hecho o circunstancia es necesario encontrar los argumentos para emitirlo, es decir, expresar, por ejemplo:

- Esto es bueno porque…
- Esto es conveniente, ya que…
- Esto no se debe hacer pues…

Cuando hay un conflicto de valores, llegar a un juicio válido éticamente se hace difícil. Pero en la medida en que avances en tu capacidad de razonamiento ético, aprenderás a identificar esos conflictos de valores y tendrás mejores criterios para decidir cómo actuar.

Analicemos un ejemplo:

La escuela Carmen Serdán invita a alumnos y alumnas de la escuela Hermanos Flores Magón a un juego amistoso de futbol al que deberán presentarse sólo dos equipos de once integrantes cada uno.

El maestro de educación física de la escuela Hermanos Flores Magón convoca a quienes juegan este deporte, y les comunica la invitación.

Pedro opina que deben ir los mejores jugadores y asegurar así el triunfo; Lola, que la invitación está abierta a todos; Laura quiere que vayan los que no han participado en otras actividades.

Deben ponerse de acuerdo. El maestro les hace ver que para tomar una decisión es necesario que razonen éticamente, pues se han puesto en juego diferentes valores, como la equidad y el gusto de triunfar.

Según tú, ¿quiénes deben ir? ¿Cómo asegurar que la decisión sea ética?

http://ejercicios

Ejercicios

Nuestros derechos

En el libro *Conoce nuestra Constitución* consulta los artículos siguientes y anota brevemente a qué garantía individual se refiere cada uno. Relaciónalas con las ilustraciones.
Puedes ingresar a Enciclomedia o, con ayuda de una persona adulta, consulta la página: http://www.diputados.gob.mx/LeyesBiblio/index.htm

Artículo 1 constitucional:

Artículo 6 constitucional:

Artículo 9 constitucional:

Contesta:

¿Por qué son importantes esos derechos para la vida democrática?

Reflexiona acerca de los derechos que ejerces en la vida cotidiana de tu escuela. Revisa el libro *Conoce nuestra Constitución*, e identifica tres de ellos. Regístralos.

Artículo

Artículo

Artículo

http://ejercicios

Ejercicios

Nuestro gobierno

Completa el cuadro sinóptico siguiente. Investiga en la Constitución Política y en la sección "Platiquemos" de este bloque los datos que hacen falta.

Gobierno de México

- Republicano (Art. 40) ______________________
  - Porque ______________________
  - Porque ______________________
  - Porque ______________________
- División de poderes (Art. 49)
  - (Art. 50) ______________________
  - (Art. 80) ______________________
  - (Art. 94) ______________________
    - Porque ______________________
    - Porque ______________________
    - Porque ______________________

¡Las noticias! ¡Las noticias!

Lee el periódico y elige una nota en que se narre la manera como se defendieron los derechos de un grupo de personas.

Prepara una nota sobre este tema, explicando lo esencial del asunto. Escríbela aquí.

Con ayuda de tu maestra o maestro organicen la elaboración de un periódico escolar. Lee el texto correspondiente en la página 94 para que te guíes.

Seleccionen los textos y revisen que no haya faltas de ortografía.

Ilustren cada noticia.

Elijan democráticamente el nombre que le darán. Consigna el nombre aquí.

http://ejercicios

Ejercicios

El gobierno de mi entidad federativa

Investiga el nombre completo de las personas que ocupan los siguientes cargos del gobierno de tu entidad federativa y anótalo en la primera columna. En la segunda, anota alguna acción o asunto relevante que esté realizando cada uno.

CARGO DE GOBIERNO EN LA ENTIDAD FEDERATIVA	ACCIÓN RELEVANTE
Gobernador o jefe de Gobierno	
Diputado presidente de la Cámara de Diputados local	
Presidente del Tribunal Superior de Justicia	
GOBIERNO MUNICIPAL O DELEGACIONAL	
Presidente municipal o jefe delegacional	

¿Qué obra de gobierno realizarías si ocuparas alguno de los cargos mencionados? Explica cómo mejoraría la calidad de vida de la colectividad.

http://autoevaluación

Autoevaluación

¿Cómo voy?

Escoge la respuesta que mejor describe tu desempeño y colorea la figura.

Siempre  **Casi siempre**  **Casi nunca**  **Nunca** 

En la escuela, con mis maestros y mis compañeros

Cumplo las normas del salón de clases.

S CS CN N

Escucho a mis compañeras y compañeros.

S CS CN N

Participo en decisiones colectivas.

S CS CN N

Respeto los derechos humanos de ancianos, mujeres y adolescentes.

S CS CN N

Describo las cualidades del sistema de gobierno republicano y democrático de México.

S CS CN N

En mi casa, en la calle y otros lugares

Promuevo entre familiares y amistades el respeto a leyes y reglamentos.

S CS CN N

Participo en asuntos colectivos para que se tomen decisiones justas.

S CS CN N

Respeto las normas de mi familia.

S CS CN N

Me informo de las acciones de gobierno de mi entidad federativa.

S CS CN N

Participo en algunas decisiones familiares.

S CS CN N

¿En qué puedo mejorar?

____

____

Participación ciudadana

Con el aprendizaje y la práctica podrás:

- Identificar las causas de algunos conflictos sociales y de violencia difundidos a través de los medios de comunicación.
- Analizar algunos motivos de conflicto social.
- Examinar asuntos de interés común cuya solución demande la intervención libre e informada de todas las personas.

Diá
loga

Platiquemos

Llegamos al final de la primaria. En estos años has participado en la vida de tu escuela de manera cada vez más activa, consciente, con apego a la legalidad, aprovechando tu energía creativa, respetando a todas las personas con quienes tratas y con gusto por aprender y aplicar las competencias que adquieres en tu educación. Esta participación te hace sentir orgullo, y te demuestra que tus acciones, sumadas a las de tus compañeras y compañeros, pueden contribuir a una mejor experiencia escolar para toda la comunidad educativa.

En la escuela has conocido personas de distintas ideas y gustos, diferentes personalidades, y has convivido con gente de gran variedad de edades. Esta riqueza de diferencias ha contribuido a tu proceso de formación cívica y ética, pues sabes vivir con los demás apreciándolos, respetándolos y poniéndote de acuerdo con ellos para lograr metas comunes o individuales, y para dar solución a los problemas que surjan.

En las votaciones parlamentarias infantiles, se toma en cuenta la opinión de las niñas y los niños.

La escuela te ha dado una idea de lo que es la sociedad más amplia en la que vives, de tu país y de tus connacionales. Te ha formado con los principios de igualdad, de libertad, de justicia y de respeto, y te ha impulsado a ser cada vez mejor en las actividades que emprendes. También te ha enseñado que es natural que en la vida diaria se contrapongan ideas de diferentes personas, pero que es posible dar solución a los problemas que surjan platicando, escuchándose y haciendo valer la justicia.

Esto que has aprendido en la escuela será la base de tu vida social en el futuro. Cada vez estarás con mayores facultades para participar en la vida colectiva, en grupos cada vez más amplios y diversos. Cuando alcances la mayoría de edad estarás incluso en condiciones de votar por representantes políticos, y también ser votado.

Los niños y las niñas son el futuro de la nación.

Platiquemos

La participación de la ciudadanía en asuntos colectivos es necesaria para que funcione la democracia que, ya sabes, es el gobierno del pueblo. La soberanía popular, la libertad individual y la igualdad de todos ante la ley y en la participación política son fortalezas de la democracia, y en la vida social y política podemos cuidar estas conquistas, o perderlas.

En nuestra forma de gobierno, el derecho a participar en asuntos sociales y políticos es un derecho de los ciudadanos. No sólo para cuestiones de gobierno es necesaria la participación, ni únicamente mediante las elecciones, sino en todos los aspectos de la vida colectiva pues pueden, siempre, mejorarse.

En todos estos aspectos de la participación que se han mencionado, hay un elemento fundamental: la capacidad de comunicarse. A esta capacidad a veces también se le llama "diálogo", y se refiere a escuchar con atención lo que dicen los otros, entender sus ideas, exponer las propias con claridad y respeto, así como platicar para llegar a acuerdos que todos sigan.

Esta forma de proceder tiene varias aportaciones a la vida democrática: todos son escuchados, todas las ideas son valoradas, y quienes son afectados por las deci-

Parlamento de las niñas
y los niños de México

siones tienen oportunidad de exponer sus intereses, los cuales deben ser tomados en cuenta. Otra aportación del diálogo y la participación a la vida democrática es que ayuda a dar solución a problemas de la vida social sin recurrir a la violencia.

Ponerse de acuerdo mediante la palabra es esencial para trabajar conjuntamente. Hablando se entiende la gente, y cada uno pone lo mejor de sí en tareas colectivas si recibe palabras amables, de aliento y respetuosas. Seguramente tú ya has notado la diferencia entre que te tomen en cuenta o no en actividades que te involucran.

Las sociedades democráticas reconocen que hay diferencias entre las personas, y que, dentro del marco de la ley, cada uno puede elegir su modo de vivir. Por eso, la vida en una sociedad exige establecer acuerdos entre las diferentes personas y los diversos grupos que la componen para dar respuesta a los problemas y las necesidades que de manera cotidiana se presentan. Esos acuerdos deben tener como principios básicos la legalidad, la participación, el respeto a la dignidad de las personas, la tolerancia, la igualdad, la equidad y, por supuesto, la justicia. No es fácil llegar a acuerdos sobre asuntos que involucran a muchas personas, por lo que la participación busca que no se cometan errores o injusticias por falta de información o por no tomar en cuenta los derechos de alguien.

Platiquemos

El acuerdo entre personas y grupos distintos requiere que los involucrados dispongan de información suficiente, que se maneje un lenguaje que todos comprendan y que todos sean considerados iguales, sin desventaja para ninguno.

Para que el proceso de comunicación llegue a resultados satisfactorios, el diálogo deberá ser honesto y veraz, sincero, responsable y tolerante. Por eso es importante que desarrolles la capacidad de entender a los otros y a conciliar posturas diferentes. Esta capacidad te servirá a lo largo de tu vida en los estudios que decidas emprender, cuando te integres a la vida laboral y en la convivencia diaria.

Las autoridades tienen la responsabilidad de procurar el bienestar colectivo, pero si en esta tarea reciben el impulso de la participación social, pueden trabajar mejor. La participación sirve para entender mejor las necesidades de la población y sus puntos de vista, y reúne las energías y los recursos de una sociedad para dar satisfacción a sus necesidades y solución a sus problemas.

Es una tarea de la ciudadanía conocer los problemas de su localidad, de su país y del mundo. Conociéndolos, podrá participar de manera más informada en la de-

Participar en las votaciones que convocó el IFE para los niños, te sirve para prepararte para el futuro, participar en la cultura de la legalidad y así construir el respeto por las leyes y la democracia.

finición de metas de su país, y elegirá a los representantes que más le convengan. Mientras mejor informada esté, la ciudadanía podrá tomar decisiones adecuadas y conformes con los principios de la vida democrática.

Las autoridades deben velar por que los problemas se solucionen conforme a las leyes, y no por la fuerza. Aprende a defender tus derechos y tus intereses sin conductas violentas que violen los derechos de alguien más. Siempre tendrás a las leyes y a las instituciones para defender tus derechos.

También en caso de desastres naturales la mejor respuesta es la participación. Ya tienes algunas nociones de protección civil y sabes que es necesario participar en la elaboración de planes para afrontar emergencias y desastres naturales. Si participas en evaluar los riesgos de los lugares donde vives, estudias y transitas, y conoces las medidas de protección, estarás en mejores condiciones de cuidar tu seguridad y la de tu familia.

Ya en la primaria comenzaste a participar en la vida escolar. Esperamos que en la secundaria continúes el aprendizaje y la participación que han fortalecido tu formación cívica y ética. Felicidades al final de este ciclo y ¡adelante!

Puedes participar en actividades especiales para niños y niñas de las instituciones del país, como las que ofrece la Marina

Para aprender más

En el siglo XX las mujeres obtienen el derecho al voto

Tal vez te sorprenda saber que, hasta hace muy poco, las mujeres fueron excluidas de muchos ámbitos de la vida considerados públicos, recluyéndolas en los hogares y negándoles, por ejemplo, el derecho a estudiar, a votar o a trabajar.

¿Sabías que las mujeres en México obtuvieron el derecho al voto en 1953, aunque hubo votaciones desde 1812? Por esto es que diversos grupos de mujeres y hombres iniciaron la lucha por la equidad de género, realizando diferentes acciones como la exigencia del derecho al voto, a estudiar en la universidad y a tener igualdad de derechos con los hombres.

¿Sabes qué es ser productivo?

Generalmente las personas adultas trabajan para satisfacer distintas necesidades. Tú puedes contribuir a mejorar el país en el que vives. ¿Cómo?, al realizar tus actividades diarias en la casa, la escuela y en tu comunidad y cumpliendo con los compromisos que te propones. Ordena y prioriza tus tareas de mayor a menor importancia, procurando hacerlo cada vez mejor.

Secretaría del Trabajo y Previsión Social.
Productividad laboral.

Tequio

En la tradición mesoamericana, el tequio, o faena, es un fenómeno social; muy importante en las comunidades, esta forma de trabajo comunitario ha sido durante siglos uno de los principales modos de contribuir al bienestar general. Para sostener o para ampliar los bienes públicos, cada uno es convocado, sin remuneración específica, para colaborar en condiciones de equidad. Al menos ésa era la inspiración original, y aunque cada vez es menos frecuente esta práctica, todavía el artículo 12 de la Constitución Política de Oaxaca la establece como norma de convivencia.

En mi experiencia del tequio —que en mi pueblo se hacía una vez por semana— descubrí tres rasgos que ya quisiera tener cualquier sociedad democrática contemporánea: primero, una exigencia universal de colaboración, respecto de la cual ni los cargos ni el dinero pueden usarse para esquivar la responsabilidad del aporte debido; segundo, la enorme eficacia de una aplicación intensiva y simultánea de la fuerza social; tercero, una verificación pública e inmediata de los resultados. En resumen: a) todos ponen para lo que es de todos; b) se enfrenta el problema juntos y coordinados, con soluciones definitivas; c) no es aceptable algo hecho a la mitad: lo público debe funcionar bien por definición.

David Calderón
Mexicanos Primero

México: el derecho de asilo y los refugiados

En numerosas ocasiones nuestro país ha dado asilo a personas que sufrían amenazas y persecución por motivos políticos o ideológicos en sus propias naciones, y ha brindado refugio a quienes han tenido que abandonar su patria a causa de la violencia y la guerra.

Estas muestras de solidaridad, que han representado ayuda y protección no sólo a extranjeros y sus familias, sino también a comunidades de diferentes nacionalidades, han contribuido a que México goce de reconocimiento mundial como impulsor de los derechos humanos.

Este prestigio también es resultado del papel que ha desempeñado nuestro país en múltiples foros y organismos internacionales, haciendo propuestas que reflejan su interés por preservar los derechos fundamentales de quien ve amenazada su vida, su integridad física, su seguridad o su libertad en su país de origen o cuando en éste existe una violación generalizada de los derechos humanos. Este papel lo define la Ley General de Población de México.

Algunas de las acciones más conocidas son el asilo que concedió México a León Trotsky, opositor al gobierno soviético, o las que emprendió el presidente Lázaro Cárdenas para dar refugio a republicanos españoles, entre ellos a centenares de niños que huyeron de la guerra en su país, conocidos como los "Niños de Morelia" porque se establecieron en la capital de Michoacán, o la protección brindada a perseguidos por los regímenes fascistas europeos.

Pero hay muchos más ejemplos de la generosidad de nuestro país. En la segunda mitad del siglo XX, nuestra nación cobijó a perseguidos políticos de países latinoamericanos donde se instauraron gobiernos autoritarios, y brindó asistencia humanitaria y refugio a un numeroso grupo de guatemaltecos desplazados por la guerra en su país, recibiéndolos en Chiapas y Tabasco, donde muchos de ellos finalmente han instalado su residencia permanente.

Óscar Solís Flores
Secretaría de Relaciones Exteriores

Para aprender más

La participación de las mujeres en la sociedad: el ejemplo de María Cristina Salmorán de Tamayo

Mujer de lucha, esfuerzo y tenacidad, de conocimiento y autoridad de nuestra historia reciente, fue la primera en ocupar la alta investidura como ministra de la Suprema Corte de Justicia de la Nación en 1961. Logro significativo si consideramos los tiempos que se vivían en los años sesenta y setenta, en los que ser mujer era una labor difícil de desempeñar, una condición vista con recelo. Y ser mujer en una posición de poder, en un puesto político, era algo decididamente insólito. Su firmeza de carácter, su dedicación y estudio la llevaron a ocupar dicho cargo por veinticinco años, durante los cuales fue, además por varias ocasiones, presidenta de la cuarta sala de ese tribunal.

En su discurso de toma de protesta del alto tribunal señaló que concurrir a la integración del más alto tribunal acrecentaba en ella la satisfacción de servir a la patria y que encaminaría todos sus esfuerzos a lograr ese objetivo y lo haría en su doble carácter, como mujer y como abogada. Defendió en diferentes foros nacionales e internacionales la condición de la mujer trabajadora para buscar su igualdad y defender sus derechos fundamentales.

Doña Cristina Salmorán nació en la ciudad de Oaxaca, en el estado del mismo nombre. Estudió la licenciatura en Derecho en la Facultad de Derecho y Ciencias Sociales de la UNAM, donde se tituló en 1945. En esa misma facultad entre 1951 y 1953 realizó su doctorado en Derecho. En 1954 fue nombrada presidenta sustituta de la Junta Federal de Conciliación y Arbitraje, puesto ocupado por primera vez por una mujer. El 12 de mayo de 1961 fue nombrada ministra de la Suprema Corte de Justicia de la Nación, cargo que ocupó hasta 1986, año en el que se jubiló. La Biblioteca de la Suprema Corte de Justicia de la Nación lleva su nombre. Falleció en la ciudad de México en 1993.

Olga María del Carmen Sánchez Cordero de García Villegas
Suprema Corte de Justicia de la Nación

Participar en la cultura

Algunas instituciones invitan a las alumnas y los alumnos de primaria a participar en concursos que ayudan a mostrar aspectos significativos de la cultura de su comunidad. Es el caso de una alumna de sexto grado que participó en un concurso de literatura en lengua indígena, convocado por la Dirección General de Educación Indígena.

Esta alumna, Verónica López Antonio, entrevistó en lengua mazahua a una persona mayor de su comunidad, para recuperar su experiencia en la escuela. Presentó el texto en español y en mazahua.

Lee y descubre cómo la educación fortalece la capacidad de participación y de ejercicio de derechos de las personas. Reflexiona acerca de los actos de justicia y de injusticia que se hacen patentes en la entrevista.

El día 15 de abril de 2009, fui a visitar y entrevistar al señor Mario López López que vive cerca de mi casa en la comunidad de Ejido 20 de noviembre, la Concepción de los Baños, Municipio de Ixtlahuaca. Él actualmente trabaja en la ciudad de Toluca, pero los fines de semana regresa al pueblo con mis abuelitos. El nació el 28 de mayo de 1958. Estudió hasta el primer grado de secundaria. Participa en la asociación de padres de familia en la comunidad donde actualmente reside. El señor Mario me recibió muy amablemente en su casa, y me dijo que me sentara en una silla para platicar sobre el tema: "La educación de ayer y hoy".

¿En qué escuela cursó sus estudios de educación primaria?

M. L. L. Yo estudié en la escuela primaria "Emiliano Zapata" que está ubicada en el pueblo de la Concepción de los Baños. Es una escuela pública. Después que concluí mis estudios básicos en esta escuela pública, quise continuar en la escuela secundaria del municipio de San Felipe del Progreso, Estado de México, pero por la situación económica de un hijo de campesino me fue imposible concluir mi educación: falta de dinero, no había medios de transporte, mi único medio de trasporte era un burro.

http://para_aprender_mas

Para aprender más

¿Cuáles fueron los mejores momentos en la escuela primaria?

Pues en realidad a mí sí me gustó mucho asistir a la escuela. A pesar de que mi papá era un pobre campesino que no tenía ningún sueldo, pues sólo trabajaba en la milpa sembrando maíz y frijol, le alcanzaba para comprar lo necesario para que no nos faltara nada a mí y a mis hermanos. En lo relacionado con la escuela primaria y los profesores que tuve en ese tiempo, sí eran muy exigentes porque nos hacían aprender a leer y a escribir casi a la fuerza. Recuerdo que tuve una profesora de nombre Enriqueta. Nos golpeaba mucho a mí y mis compañeros si no respondíamos correctamente preguntas o no leíamos, escribíamos o resolvíamos bien las operaciones.

¿Qué fue lo que no le gustó de sus maestros?

Nos prohibían hablar nuestra lengua materna, mazahua, porque la maestra decía que era un dialecto para atrasados. Que eso no nos servía, que ya era tiempo de ser gente grande civilizada. A los que sorprendía platicando en nuestra lengua los castigaba cargando unos libros en un rincón del salón. También tuve un maestro que era muy bueno con nosotros. Él escuchaba nuestras opiniones y le gustaba que le habláramos de nuestras lenguas mazahuas. Le gustaba jugar con nosotros. Sí, le tuvimos mucha confianza y cariño, lo que me permitió tomar mucha iniciativa y poder compartir con él mi lengua indígena. Eso me hacía disfrutar e interesarme por seguir estudiando.

¿Qué opina sobre la enseñanza de la lengua mazahua en la escuela primaria?

Estoy de acuerdo con que esta lengua se imparta en la escuela porque nos sirve de mucho. Es nuestra lengua, que nos dejaron nuestros antepasados. Mi familia y yo la hablamos cuando estamos en la casa, pero cuando vamos a Toluca dejamos de hablar nuestra lengua indígena. Yo quisiera seguir hablando nuestra lengua indígena; que la sigamos conservando, aunque mi familia y yo ya no nos comunicamos en forma directa en nuestra lengua indígena. Hablar una lengua indígena no nos quita lo que somos; al contrario, nos beneficia aunque algunas personas se quedaron con la idea de antes, pues eran discriminados por hablar una lengua indígena. No debemos dejar morir nuestra lengua, la debemos conservar.

¿Cómo reconoce a los buenos profesores?

Los buenos para mí son los de gran vocación, son los que disfrutan lo que hacen. A ellos les gusta, y están dispuestos a escuchar lo que piensan los niños, o lo que quieren decir. Profesores con la capacidad de acercarse a sus alumnos con afecto, de mirarlos, de sonreírles y apoyarlos de manera individual; así como de reconocer en ellos sus talentos o dificultades, y ayudarlos en lo que no saben. En mi propio camino sus enseñanzas me orientaron hacia una ruta diferente.

¿Cómo ayuda a sus hijos en sus decisiones?

Yo siento que mi deber es ayudar a mis hijos en todas sus decisiones. Para mí lo más importante es mi familia, a la cual le brindo toda mi confianza. Yo sé que es necesario ayudar a los maestros en la escuela porque cuando yo voy a la escuela observo lo que hace falta, sé que es necesario ayudar en las tareas educativas, platicar con ellos sobre los aprendizajes en la escuela. En los tiempos que estamos viviendo, la educación nos exige ser mejores.

Lee este y otros textos, en su lengua original y en su traducción al español, en *Los cuentos de niños y niñas indígenas*, publicación donde se recogen anualmente textos presentados al concurso de ese nombre.

Opju nuko ri mamugoji
ngek'ua dya kja ra maa,
re ngejme yo jñaa na zoo
nuko in chii raopju mu ra te'e.

Traducción: Escribe nuestra palabra / para que ésta permanezca / impresa en letra dorada, / para tu hijo cuando crezca. Demetrio Espinoza Jiménez, "Nuestra palabra" (fragmento), en *Voces del corazón de la tierra*

Para hacer

Asamblea

Una asamblea es una forma de participación social. La asamblea escolar sirve para propiciar el diálogo abierto que resulta de la escucha respetuosa y la libre expresión. Es una oportunidad para que alumnas, alumnos, profesores y profesoras hablen de todo aquello dirigido a mejorar la convivencia escolar y el desarrollo del trabajo académico.

Para llevar a cabo una asamblea es necesario distribuir las tareas, fijar las reglas que debemos seguir, respetar el uso de la palabra así como los acuerdos a los que se lleguen. La asamblea es un ejercicio de democracia.

Una asamblea debe convocarse avisando con tiempo el lugar y la hora de reunión. Será más democrática si es una convocatoria abierta, es decir, si se invita a participar a todos. Para interesar a las personas a asistir y colaborar, se establece un orden del día, en que se enuncian los temas a tratar.

Para realizar la asamblea, se requiere establecer previamente, o al inicio de la misma, quiénes estarán en la mesa y desempeñarán los papeles de presidente, secretario y moderador.

El presidente, o moderador, da la palabra y dirige el debate; el secretario toma los acuerdos y, en caso de votación, cuenta los votos. Puede ser auxiliado por otra persona.

Como última actividad, se leen los acuerdos de la asamblea. Se hacen públicos por medio de un cartel, el periódico mural o el periódico escolar.

Participación

La participación te hace parte activa de la sociedad, te ayuda a mirar sus problemas como propios, a desarrollar el pensamiento creativo y hacerte responsable; en suma, es a través de la participación como podemos transformar el mundo en que vivimos.

Desarrollaras tu capacidad de participar si puedes:

- Identificar asuntos que te interesan o requieren solución, estar pendiente de lo que pasa a tu alrededor, interesarte en aquello que sucede en la comunidad, platicar con los adultos, escuchar las noticias, leer los periódicos, preguntar a tus maestros, platicar con amigos; todo ello para reconocer lo que te interesa o afecta en el ámbito público.
- Informarte lo mejor posible sobre un asunto que te interese, buscar información, como datos, opiniones, hechos, en distintas fuentes: libros, revistas, Internet, entrevistas personales, televisión, radio, periódicos, maestros, etcétera. Es importante utilizar distintas fuentes para tener una idea más completa sobre determinados hechos, ordenar la información y compararla.
- Conocer, acordar y respetar las normas de participación. Esto significa que las formas de participación serán ordenadas, pacíficas y sobre todo constructivas. La idea más importante de la participación es construir nuevas ideas y soluciones a nuestros problemas. Para esto, conoce cuáles son las normas para participar y respétalas, tanto en los procedimientos como en los resultados. Puedes incluso participar en la elaboración de las normas.
- Dialogar con apertura para escuchar opiniones diferentes de las tuyas. Expresa con claridad tus ideas y escucha con atención y respeto las ideas de los demás.
- Valorar las ideas presentadas y decidir una posición ante las diversas alternativas. Esto significa identificar aquello que te parece valioso en lo que otros dicen, integrarlo a lo que piensas y formarte una idea nueva con lo mejor de lo que reflexionaste después de analizar varias alternativas.
- Expresar libremente tu opinión, decisión o voto. Esto significa opinar y decidir de manera autónoma, es decir, a partir de tus propias convicciones, sin permitir que otros te manipulen.
- Respetar y cumplir decisiones tomadas. Esto quiere decir que, una vez concluido el proceso de participación, los acuerdos y las decisiones del grupo deben ser cumplidos y respetados por todos, aun cuando no sean aquellos que hubieras querido.

Instituto Federal Electoral

Ejercicios

Análisis de un conflicto social

Busca una nota periodística acerca de algún problema social actual. Pégala en tu cuaderno y en el espacio siguiente escribe un texto breve e ilustra con dibujos o con un esquema cómo se generó el conflicto y si se pudo haber evitado o solucionado.

Contesta las preguntas siguientes para analizar la razón del conflicto.

¿Quiénes están involucrados en el conflicto?

¿Qué papel tienen estas personas o grupos en la sociedad?

¿Cómo afecta a cada grupo este conflicto?

¿Por qué se desencadenó el conflicto?

¿Cómo se está dando la comunicación?

¿Se ha expresado o ensayado algún tipo de solución?

¿Qué intereses tienen los involucrados?

¿Cómo te gustaría que se solucionara este conflicto?

Explica ante tu grupo el análisis que hiciste del conflicto investigado.

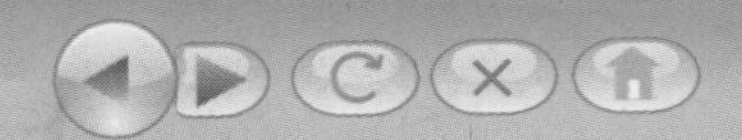

http://ejercicios

Ejercicios

Soluciones colectivas

Con la dirección de tu maestra o maestro, convoquen a una asamblea grupal con el propósito de seleccionar acciones que colaboraren en la solución de un problema o conflicto social.
Nombren un moderador y un secretario.
Considerando problemas como desnutrición, adicciones, contaminación, escasez de agua u otros, utilicen procedimientos democráticos para elegir uno que tenga implicaciones en su localidad, en el país o en el mundo, y anótenlo.

¿Qué posibles maneras de participación podrían ser llevadas a cabo por ustedes? Elabora una lista de las maneras en que tú y tu grupo pueden colaborar a dar solución al problema seleccionado.

¿Cuál de los problemas señalados despertó más tu interés? ¿Por qué?

¿Cómo te gustaría que se solucionara?

¿A quiénes beneficiaría esa solución?

Para contribuir a la solución, ¿qué puedes hacer tú?

Una mujer brillante

Lee los textos "En el siglo XX las mujeres obtienen el derecho al voto" y "La participación de las mujeres en la sociedad: el ejemplo de María Cristina Salmorán de Tamayo", en las páginas 110 y 112, respectivamente. Reflexiona y completa el esquema.

Al obtener la mujer el derecho al voto

Se benefició a las mujeres porque:

____

____

____

Se benefició a los varones porque:

____

____

____

Se benefició a la sociedad porque:

____

Analicemos y actuemos.

Consulta las páginas 106 y 107 de tu libro de texto y responde.

1. ¿Qué relación tiene la historia de la ministra con la participación social de las mujeres en la lucha por el derecho al voto?

____

2. A partir del ejemplo de la ministra menciona qué valores identificas como necesarios para la vida democrática.

____

3. ¿Consideras que su nombramiento como ministra contribuyó a los principios de igualdad y justicia? ¿Por qué?

____

4. ¿Qué actitudes tomarías con tus compañeros para que no haya diferencias entre las personas y se viva democráticamente?

____

Ejercicios

Los derechos de las niñas y los niños

Lee la "Convención de la ONU sobre los Derechos de la niñez" y anota en las líneas con cuál de ellos se relacionan las ilustraciones.

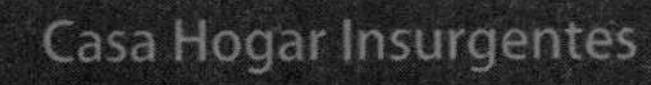

http://autoevaluación

Autoevaluación

¿Cómo voy?

Escoge la respuesta que mejor describe tu desempeño y colorea la figura.

Casi siempre

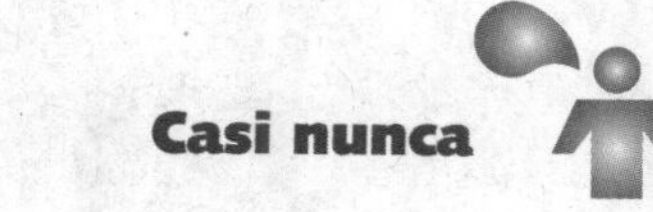

Nunca

En la escuela, con mis maestros y mis compañeros

Identifico algunos problemas escolares.

Propongo alternativas para solucionar problemas.

CS CN N

Participo en proyectos para mejorar en algún aspecto los servicios de mi escuela.

CS CN N

Intervengo para impedir malos tratos o violencia entre compañeras y compañeros.

CS CN N

Participo en las decisiones de mi grupo.

CS CN N

En mi casa, en la calle y otros lugares

Propongo analizar las causas de los problemas que se presentan en mi casa o en el vecindario.

CS CN N

Busco acuerdos para evitar injusticias y malos tratos.

CS CN N

Participo en acciones para prevenir daños ocasionados por fenómenos naturales.

S

Tomo en cuenta la opinión de los demás para conciliar desavenencias.

CS CN N

Promuevo acciones en mi casa y en mi vecindario para evitar el consumo irracional de energía y agua.

CS CN N

¿En qué puedo mejorar?

____

____

Himno Nacional Mexicano

Coro
Mexicanos, al grito de guerra
El acero aprestad y el bridón,
Y retiemble en sus centros la Tierra
Al sonoro rugir del cañón.

I
Ciña, ¡oh patria!, tus sienes de oliva
De la paz el arcángel divino,
Que en el cielo tu eterno destino
Por el dedo de Dios se escribió.

Mas si osare un extraño enemigo
Profanar con su planta tu suelo,
Piensa, ¡oh patria querida!, que el cielo
Un soldado en cada hijo te dio.

[Coro]

II
¡Guerra, guerra sin tregua al que intente
De la patria manchar los blasones!
¡Guerra, guerra! Los patrios pendones
En las olas de sangre empapad.

¡Guerra, guerra! En el monte, en el valle
Los cañones horrísonos truenen,
Y los ecos sonoros resuenen
Con las voces de ¡Unión! ¡Libertad!

[Coro]

III
Antes, patria, que inermes tus hijos
Bajo el yugo su cuello dobleguen,
Tus campiñas con sangre se rieguen,
Sobre sangre se estampe su pie.

Y tus templos, palacios y torres
Se derrumben con hórrido estruendo,
Y sus ruinas existan diciendo:
De mil héroes la patria aquí fue.

[Coro]

IV
¡Patria! ¡Patria! Tus hijos te juran
Exhalar en tus aras su aliento,
Si el clarín con su bélico acento
Los convoca a lidiar con valor.

¡Para ti las guirnaldas de oliva!
¡Un recuerdo para ellos de gloria!
¡Un laurel para ti de victoria!
¡Un sepulcro para ellos de honor!

Coro
Mexicanos, al grito de guerra
El acero aprestad y el bridón,
Y retiemble en sus centros la Tierra
Al sonoro rugir del cañón.

Letra: **Francisco González Bocanegra**
Música: **Jaime Nunó**

Créditos iconográficos

P. 10, *Alfabetización*, 1928, Diego Rivera, fresco, segundo piso, edificio de la SEP, foto Arturo Ventura Pérez, D. R. © 2010 Banco de México "Fiduciario" en el fideicomiso relativo a los Museos Diego Rivera y Frida Kahlo. Av. Cinco de Mayo no. 2, col. Centro, deleg. Cuauhtémoc 06059, México*. **P. 11**, escuela rural, reprografía Baruch Loredo Santos, col. particular José Guadalupe Martínez. **P. 12**, José Vasconcelos, 1923, reprografía Gustavo Guevara, col. particular. **P. 13**, (arr.) maestra, DGME-SEP; (ab.) María Lavalle Urbina, Museo Archivo de la Fotografía de la Ciudad de México. **P. 14**, (arr.) medalla Maestro Rafael Ramírez, Comunicación Social SEP; (izq.) Soledad Anaya Solórzano, cortesía familia Zalce Novaro; (der.) Bertha von Glümer Leyva, cortesía Escuela Bertha von Glümer Leyva. **P. 15**, (arr.) medalla Ignacio Manuel Altamirano, Comunicación Social SEP; (izq.) Rosaura Zapata, en *Historia de la educación pública en México*, SEP-FCE, foto José Ignacio González Manterola, DGME-SEP; (der.) maestra, foto Heriberto Rodríguez. **P. 17**, niños, foto Jordi Farré, DGME-SEP. **P. 19**, niño, foto Baruch Loredo Santos. **P. 21**, medalla Rosario Castellanos, Honorable Congreso del Estado de Chiapas. **P. 32**, (izq.) Carmen Serdán, © 66712. CND. Sinafo-Fototeca Nacional del INAH; (der.) Francisco I. Madero, Banco de México. **P. 33**, Emiliano Zapata, Museo Nacional de Historia, Conaculta-INAH-MEX**. **P. 34**, Rosa Bobadilla, Instituto de Investigaciones sobre la Universidad y la Educación-UNAM. **P. 35**, Francisco Villa, ca. 1920, Museo Nacional de Historia, Conaculta-INAH-MEX**. **P. 36**, *Homenaje a José Guadalupe Posada*, 1956, Leopoldo Méndez, linograbado, reprografía Jordi Farré, DGME-SEP. **P. 37**, (izq.) soldadera, Archivo General de la Nación (AGN); (der.) Venustiano Carranza, ©Latinstock. **P. 54**, *El Agua, origen de la vida* (fragmento), 1951, Diego Rivera, fresco en polietileno, Cárcamo del Río Lerma, Chapultepec, México, foto Bob Schalkwijk, D. R. © 2010 Banco de México "Fiduciario" en el fideicomiso relativo a los Museos Diego Rivera y Frida Kahlo. Av. Cinco de Mayo no. 2, col. Centro, deleg. Cuauhtémoc 06059, México*. **P. 55**, laguna de Cuatro Ciénegas, Coahuila, Comisión Nacional de Áreas Naturales Protegidas. **P. 56**, (izq.) presa Rodrigo Gómez, La Boca, Comisión Nacional del Agua; (der.) acueducto de Querétaro, 1830, Museo Nacional de Historia, Conaculta-INAH-MEX**. **P. 57**, planta hidroeléctrica ing. Manuel Moreno Torres, Chicoasén, Chiapas, ilus. Uribe Rivera, reprografía Jordi Farré, Banco Nacional de Obras y Servicios Públicos. **P. 58**, (izq.) acueducto, Comisión Nacional del Agua; (der.) planta potabilizadora, ilus. Uribe Rivera, reprografía Jordi Farré, Banco Nacional de Obras y Servicios Públicos. **P. 59**, presa, Comisión Nacional del Agua. **P. 61**, plataforma petrolera de Pemex Ku-Maloob-Zaap, DGME-SEP, Pemex. **P. 62**, placa de edificio sede de la SEP, foto Raúl Barajas, DGME-SEP. **P. 63**, dr. Mario Molina, Centro Mario Molina. **P. 64**, Genaro Estrada, Fototeca de la Dirección General del Acervo Histórico Diplomático de la Secretaría de Relaciones Exteriores. **P. 65**, Alfonso García Robles, Fototeca de la Dirección General del Acervo Histórico Diplomático de la Secretaría de Relaciones Exteriores. **PP. 64-65**, Secretaría de Relaciones Exteriores, foto Francisco Palma. **P. 66**, (izq.) niños, Hemeroteca Nacional de México-UNAM; (der.) Jaime Torres Bodet entregando libros de texto, IISUE-AHUNAM. **P. 70**, corredor del Centro Escolar Revolución, foto Baruch Loredo Santos. **P. 82**, *Historia y perspectiva de México*, 1935, Diego Rivera, fresco, escalera principal de Palacio Nacional, foto Francisco Palma D. R. © 2010 Banco de México "Fiduciario" en el fideicomiso relativo a los Museos Diego Rivera y Frida Kahlo. Av. Cinco de Mayo no. 2, col. Centro, deleg. Cuauhtémoc 06059, México*. **P. 83**, edificio sede de la Suprema Corte de Justicia de la Nación (SCJN), cortesía de la SCJN. **P. 84**, Palacio Nacional, Instituto de Investigaciones Estéticas-UNAM. **P. 85**, edificio sede del Senado de la República, foto Rita Robles Valencia. **P. 86**, escudo de la fachada del Palacio Legislativo, Cámara de Diputados. **P. 87**, (izq.) interior del Palacio Legislativo, Cámara de Diputados; (der.) edificio sede de la Asamblea Legislativa del Distrito Federal, foto Francisco Palma. **P. 88**, Constitución de 1917, AGN. **P. 89**, Belisario Domínguez, Museo Nacional de Historia, Conaculta-INAH-MEX**. **P. 90**, primera sala, SCJN. **P. 91**, Ejército mexicano, Secretaría de la Defensa Nacional. **P. 92**, salvamento de la Marina mexicana, Secretaría de Marina-Armada de México. **PP. 104-107**, Parlamento Infantil, Cámara de Diputados. **P. 109**, niños, Secretaría de Marina-Armada de México. **P. 111**, mujer, foto Heriberto Rodríguez. **P. 112**, (arr.) relieve (detalle), SCJN; (ab.) María Cristina Salmorán de Tamayo, edificio sede de la SCJN, foto Raúl Barajas, DGME-SEP.

*Reproducción autorizada por el Instituto Nacional de Bellas Artes y Literatura 2010.
**Reproducción autorizada por el Instituto Nacional de Antropología e Historia.

Bibliografía

Francisco I. Madero, *La sucesión presidencial de 1910*, San Pedro, Coahuila, (s/i), 1908.
Jaime Torres Bodet, *Obras escogidas. Poesía. Autobiografía. Ensayo*, México, Fondo de Cultura Económica, 1961 (Letras Mexicanas).
Marta Acevedo (ed.), *Voces del corazón de la tierra*, México, SEP, 2003 (Libros del Rincón).
Rosario Castellanos, *Al pie de la letra. Poemas*, México, Fondo de Cultura Económica, 1959.

Formación Cívica y Ética. Sexto grado
se imprimió por encargo de la
Comisión Nacional de Libros de Texto Gratuitos,
en los talleres de Compañía Editorial Ultra, S.A. de C.V.,
con domicilio en Centeno No. 162, local-2,
Col. Granjas Esmeralda,
C.P. 09810, México, D.F.,
en el mes de febrero de 2011,
el tiraje fue de 2´776,400 ejemplares.

Impreso en papel reciclado

¿Qué piensas de tu libro?

Tu opinión es muy importante para nosotros. Te invitamos a que nos digas lo que piensas de tu libro de Formación Cívica y Ética, sexto grado. Lee las preguntas y elige la respuesta que mejor exprese tus ideas.

	Sí	No
1. ¿Qué secciones te gustan de tu libro?		
Platiquemos	☐	☐
Para aprender más	☐	☐
Para hacer	☐	☐
Ejercicios	☐	☐
Cenefas	☐	☐
Autoevaluación	☐	☐

	Siempre	Casi siempre	A veces	Nunca
2. ¿Los textos te sirvieron para conocer y reflexionar acerca de los valores éticos y cívicos?	☐	☐	☐	☐
3. ¿Las imágenes te permitieron obtener información adicional y nuevas ideas?	☐	☐	☐	☐
4. ¿Te resultó difícil comprender la información de los textos?	☐	☐	☐	☐

	Interesantes	Poco interesantes	Nada interesantes
5. ¿Cómo consideras los temas tratados en estos apartados?			
Lecturas	☐	☐	☐
Ejercicios	☐	☐	☐
Imágenes	☐	☐	☐

6. ¿Qué lograste aprender con tus lecturas, actividades y cenefas de tu libro?

____

____

7. Si fueras el autor o la autora del libro, ¿qué le agregarías?

____

8. Si fueras el autor o la autora del libro, ¿qué le quitarías?

____

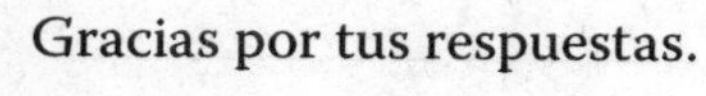

Gracias por tus respuestas.

Dirección General de Materiales Educativos
Dirección General de Desarrollo Curricular
Viaducto Río de la Piedad 507,
Granjas México, 8400, Iztacalco, México, D.F.

Dobla aquí

Si deseas recibir una respuesta, anota tus datos.

Nombre: ______________________________

Domicilio: ______________ ______________ ______________
Calle Número Colonia

______________ ______________ ______________
Entidad Municipio o Delegación C.P.

Dobla aquí

Pega aquí